なぜなにはかせの

理科クイズ

9 いろいろな実験

もくじ

なぜなにはかせの自己紹介 ………………………… 4

問題 1 ねん土の重さは、変わる？変わらない？ ……… 5

2 どの車が、一番遠くまで進む？ ………………… 7

3 磁石につくものは、どれ？ ……………………… 9

4 豆電球の明かりがつくのは、どれ？ …………… 11

5 鏡ではね返した日光を集めると…？ …………… 13

6 てんびんがつり合うのは、どれ？ ……………… 15

7 風船をふくらます方法は、どれ？ ……………… 17

8 わりばしで、ペットボトルを持ち上げるには？ …… 19

9 水蒸気は、どれかな？ …………………………… 21

10 どのてっぽうの玉が、一番飛ぶ？ …………… 23

11 ソケットなしで明かりがつくのは、どれ？………… 25

12 クリップは、どんなふうに磁石につく？ ……… 27

13 虫めがねで、紙をこがすには…？ ……………… 29

14 どのまきが、一番よく燃える？ ……………… 31

15 水が氷になると、体積はどうなる？ …………… 33

16 Ｓ極としりぞけ合うのは？ …………………… 35

17 バターが溶ける順番は？ ……………………… 37

燃えない紙の器!? ………………………………… 39

18 電気が通っているのは、どれ？ ……………… 40

19 この実験器具の名前は？ ……………………… 44

日光でお湯がわかせる！ ………………………… 48

20 水が遠く(とお)まで飛ぶ(と)のは、どの穴(あな)？ …………………… 49
21 部屋(へや)の中が、あたたまる順番(じゅんばん)は？ …………………… 51
22 水に砂糖(さとう)を溶かす(と)と、重さはどうなる？ ………… 53
23 水でつくったレンズをのぞくと…？ ……………… 55
24 モーターが速く(はや)回る(まわ)のは、どれ？ …………………… 57
25 もっとミョウバンを溶かす(と)には、どうする？ ……… 59
26 赤・緑・青の光が混ざる(ま)と、なに色になる？ ……… 61
27 一番溶け(と)にくい氷は、どれ？ …………………… 63
28 ものが燃える(も)とき、必要(ひつよう)な気体(きたい)はなに？ ………… 65
29 ろうそくのほのおで、一番熱い(あつ)のはどこ？ ……… 67
30 コップの水は、どうなる？ ……………………… 69
31 二酸化炭素(にさんかたんそ)と水を混ぜる(ま)と、どうなる？ ………… 71
32 長い時間走るモーターカーは、どれ？ ……………… 73
33 ぶらんこがゆれるテンポを変える(か)には？ ……………… 75
34 強い(つよ)電磁石(でんじしゃく)をつくるには…？ …………………… 77
35 あたためられた水は、どう動く？ ………………… 79
36 ムラサキキャベツの色水の、色が変わる(か)のは…？ …… 81
37 にじをつくるには、どっちを向け(む)ばいい？ ……… 83
38 小さな力で、重いものを動かすには？ ……………… 85
39 電磁石(でんじしゃく)のＳ極(エスきょく)とＮ極(エヌきょく)を入れかえるには…？ ……… 87
重い水と、軽い(かる)水？ ……………………………… 89
40 音が伝わる(つた)糸電話(いとでんわ)は、どれ？ ………………………… 90
さくいん ……………………………………… 94

わたしの名前は、なぜなにはかせ。みんな、理科は好きかい？
大好きな人も、そうじゃない人も、クイズで理科を楽しんじゃおう！
この本では、いろいろな実験のクイズを出すよ。さて、何問正解できるかな～？
実験の中には、子どもだけでやるのは、危険なものもあるよ。実験をするときは、かならず大人に相談しようね！
なぜなにはかせ
アキト
ナツミ
フユキ
ハルカ

問題1 ねん土の重さは、変わる？変わらない？

下の絵の上皿てんびんは、同じ重さのねん土がのっているから、つり合っているよ。
では、ねん土を①～④のようにすると、重さはどうなるかな？ ㋐～㋒の中からそれぞれ1つずつ順番に選ぼう。

「てんびん」は、左右の皿にものをのせて、かたむきかたや、つり合っているかを見て、重さをくらべる道具だよ。

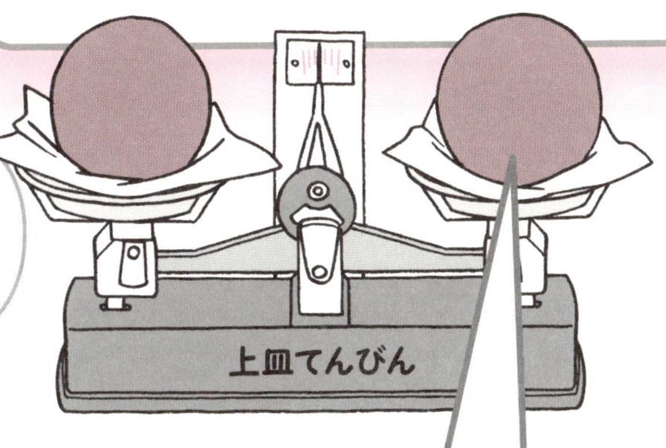

① 長細くする

ア 軽くなる
イ 変わらない
ウ 重くなる

② うすくのばす

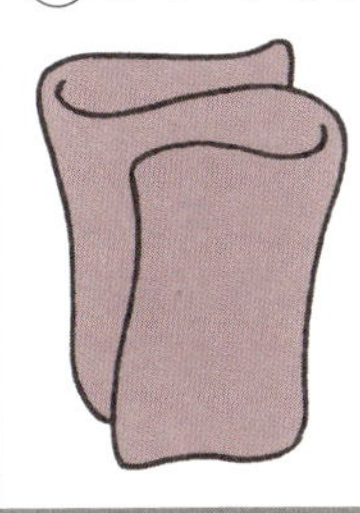

ア 軽くなる
イ 変わらない
ウ 重くなる

③ つぶつぶにする

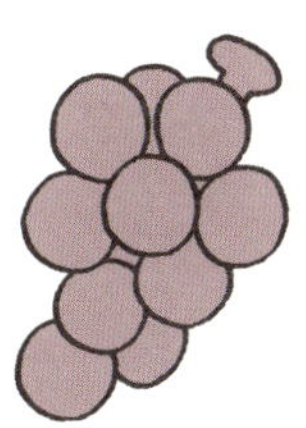

ア 軽くなる
イ 変わらない
ウ 重くなる

④ 一部を取りのぞく

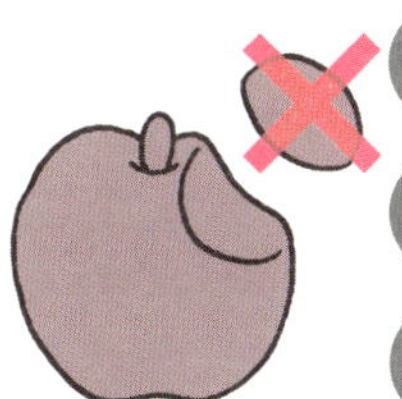

ア 軽くなる
イ 変わらない
ウ 重くなる

答え1 正解は イイイア

①②③は、ねん土の形は変わっているけれど、ねん土の量は変わっていないね。だから、重さは変わらないんだ。

④は、ねん土の量が減っているから、重さも軽くなるよ。

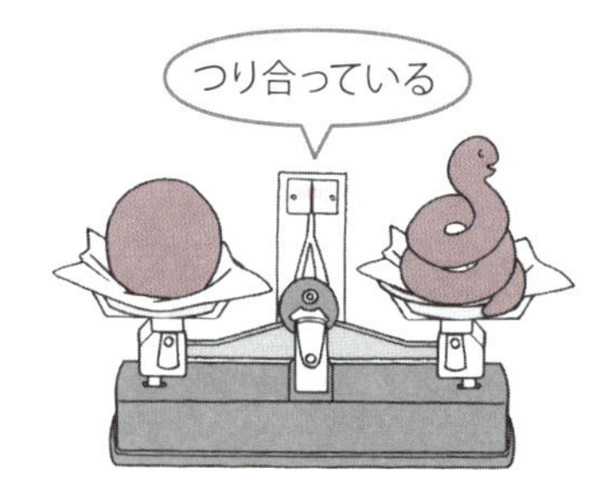

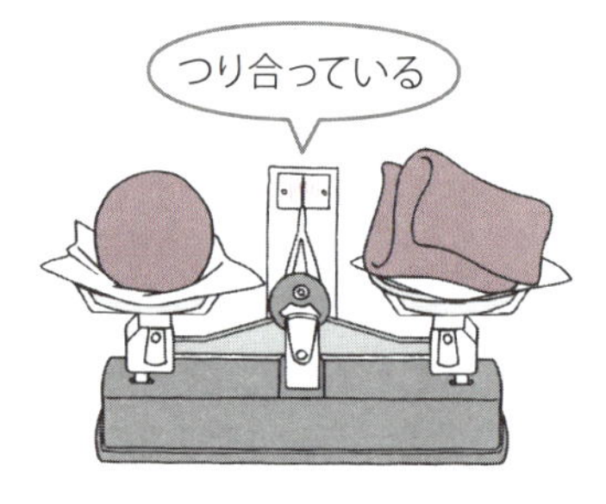

メモ

上皿てんびんは、ものの重さをくらべるだけじゃなく、「分銅」を使って、ものの重さを正確にはかることができるよ。

分銅

分銅は、よごれたり、さびたりすると重さが変わってしまうので、直接手ではさわらず、かならずピンセットで持つようにしよう。

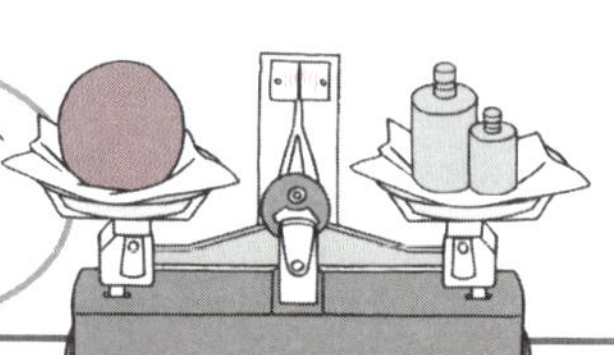

問題2 どの車が、一番遠くまで進む？

風で動く車をつくったよ。
車体はみんな同じで、風をうける帆の形だけ、変えてあるんだ。
同じ条件で、いっせいに風をあてたとき、次の㋐〜㋓のうち、一番遠くまで進んだのはどれかな？

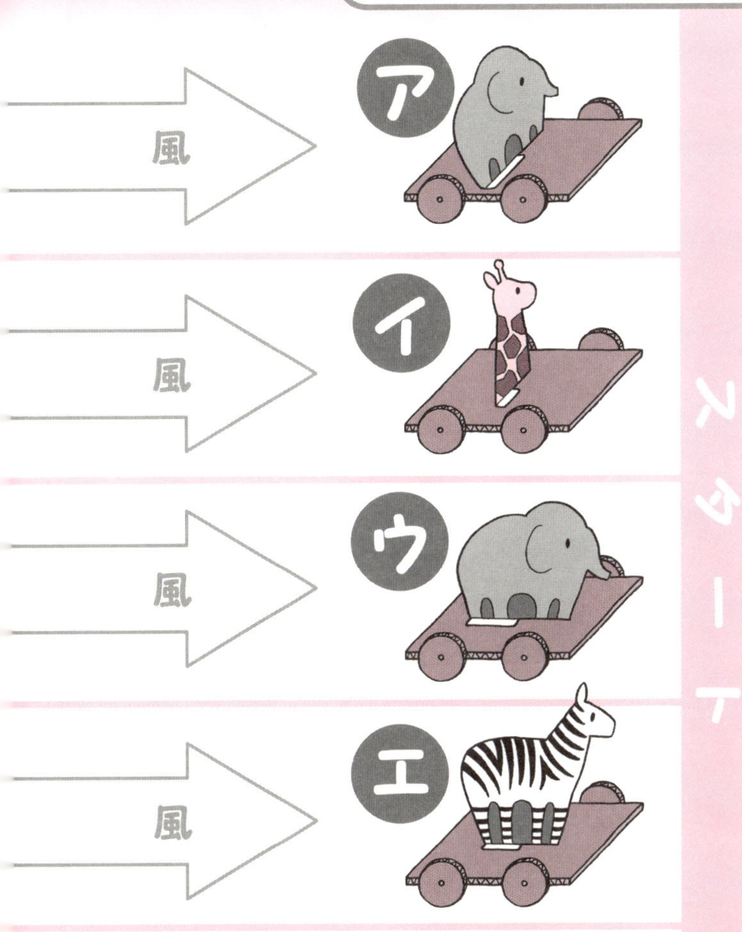

答え2　正解は㋐

帆に風があたると、風の力におされて車が走るんだね。遠くまで走らせるためには、より多くの風をうけることができる、大きな帆が必要なんだ。

上から見た車

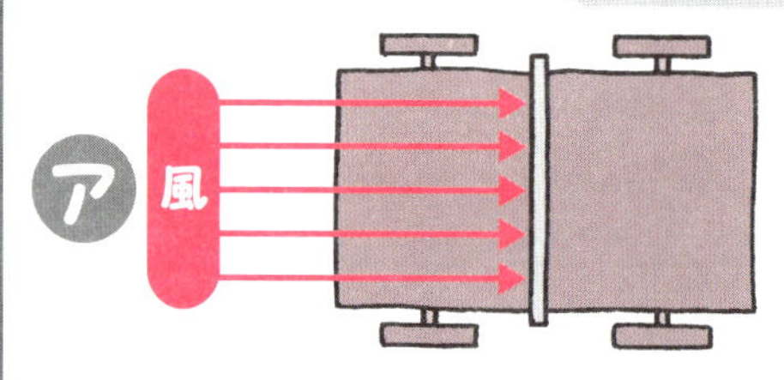

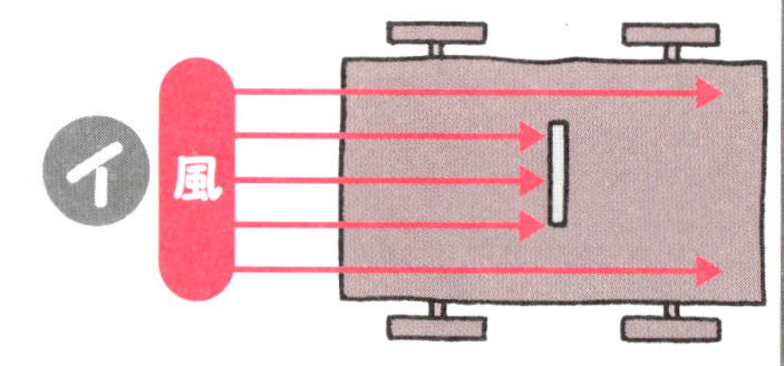

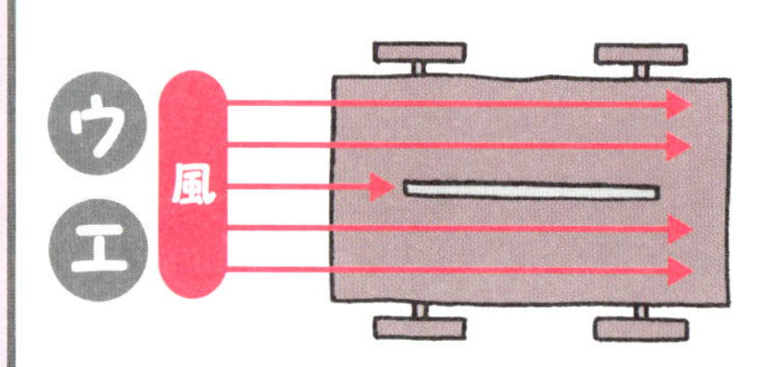

㋐の帆が、一番多くの風をうけていることが、わかるね。

メモ

風で動く車をつくろう！

段ボールに、竹ひごなどの細い棒を通して、車じくにしよう。車じくを通したストローを段ボールにつけてもいいよ。

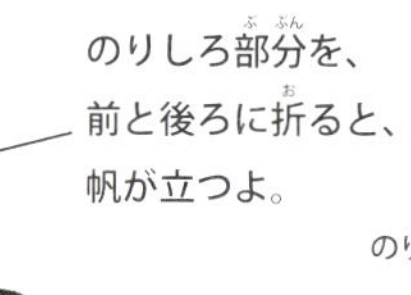

のりしろ部分を、前と後ろに折ると、帆が立つよ。

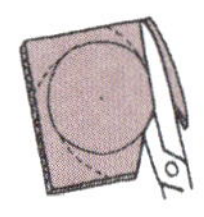

タイヤは段ボールを切りぬいてつくろう。コンパスで円を描いてから、何回かに分けて切ると、切りやすいよ。

送風機を使ったり、うちわであおいで、風をつくろう。

問題 3 磁石につくものは、どれ？

磁石は、「あるもの」をひきつける性質があり、わたしたちの生活の中で、いろいろなものに活用されているんだ。
次の㋐～㋗のうち、磁石がつくものはどれかな？ 全て選ぼう。

答え3　正解は エ ク

磁石がひきつけるのは、鉄だよ。同じ金属でもアルミや銀、10円玉の原料である銅は、磁石にはつかないんだ。磁石がものをひきつける力のことを「磁力」というよ。

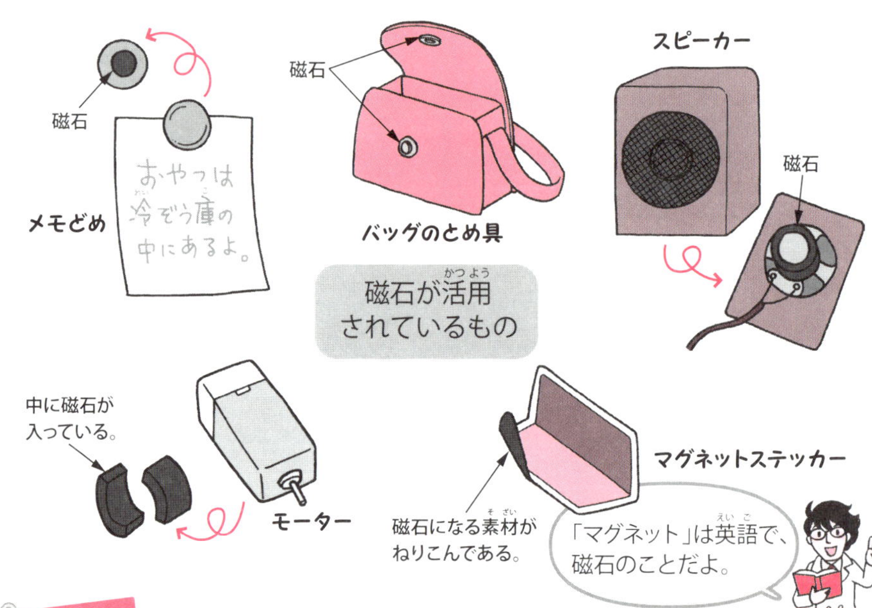

メモ

磁力は、情報の記録にも利用されているんだ。きっぷや銀行などのカード、コンピューターなどには、「磁性体」という物質が使われていて、磁力をもたせたり、消したりすることで、情報を記録するんだ。

問題 4 豆電球の明かりがつくのは、どれ？

豆電球とかん電池をつないで、豆電球に明かりをつけよう。次の㋐〜㋔のうち、明かりがついたのは、どれかな？

ソケット

豆電球

導線

かん電池

＋極

−極

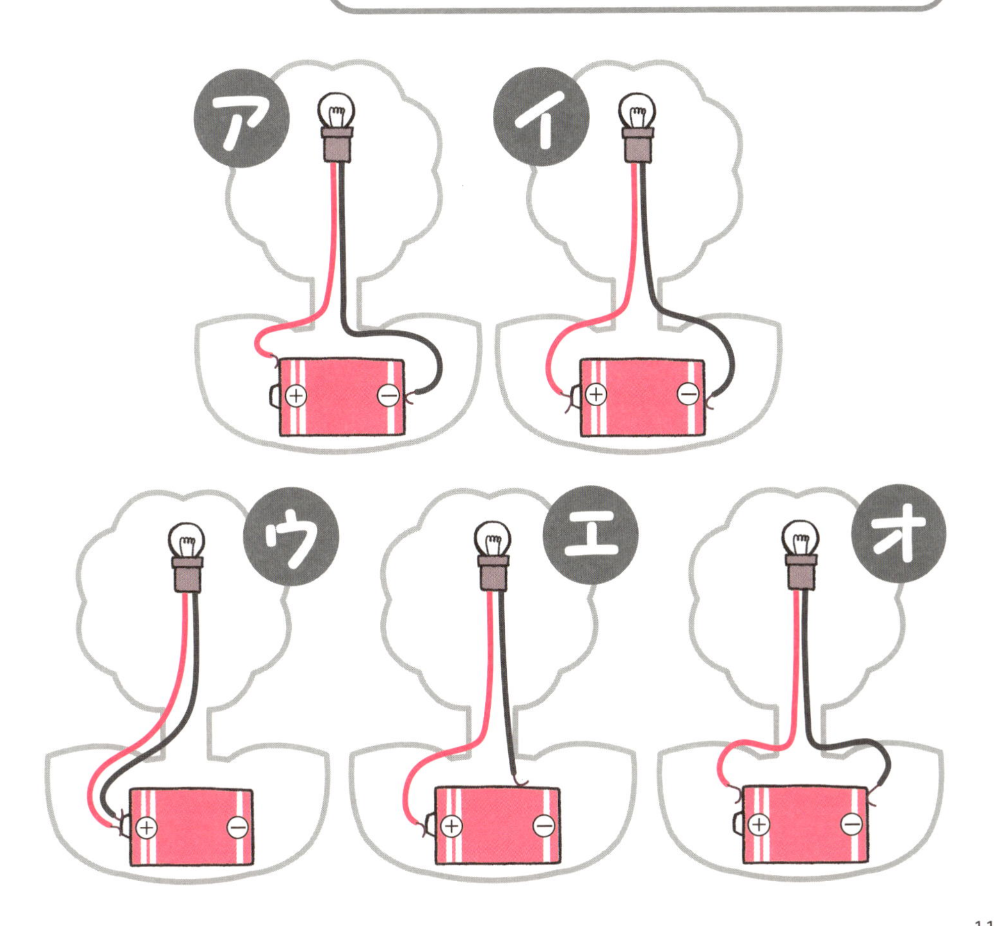

答え4　正解はイ

豆電球と、かん電池の＋極と−極が、１つの輪のようにつながったときに、明かりがつくよ。明かりがつくとき、かん電池と豆電球には、電気の通り道ができているんだ。この電気の通り道を「回路」というよ。

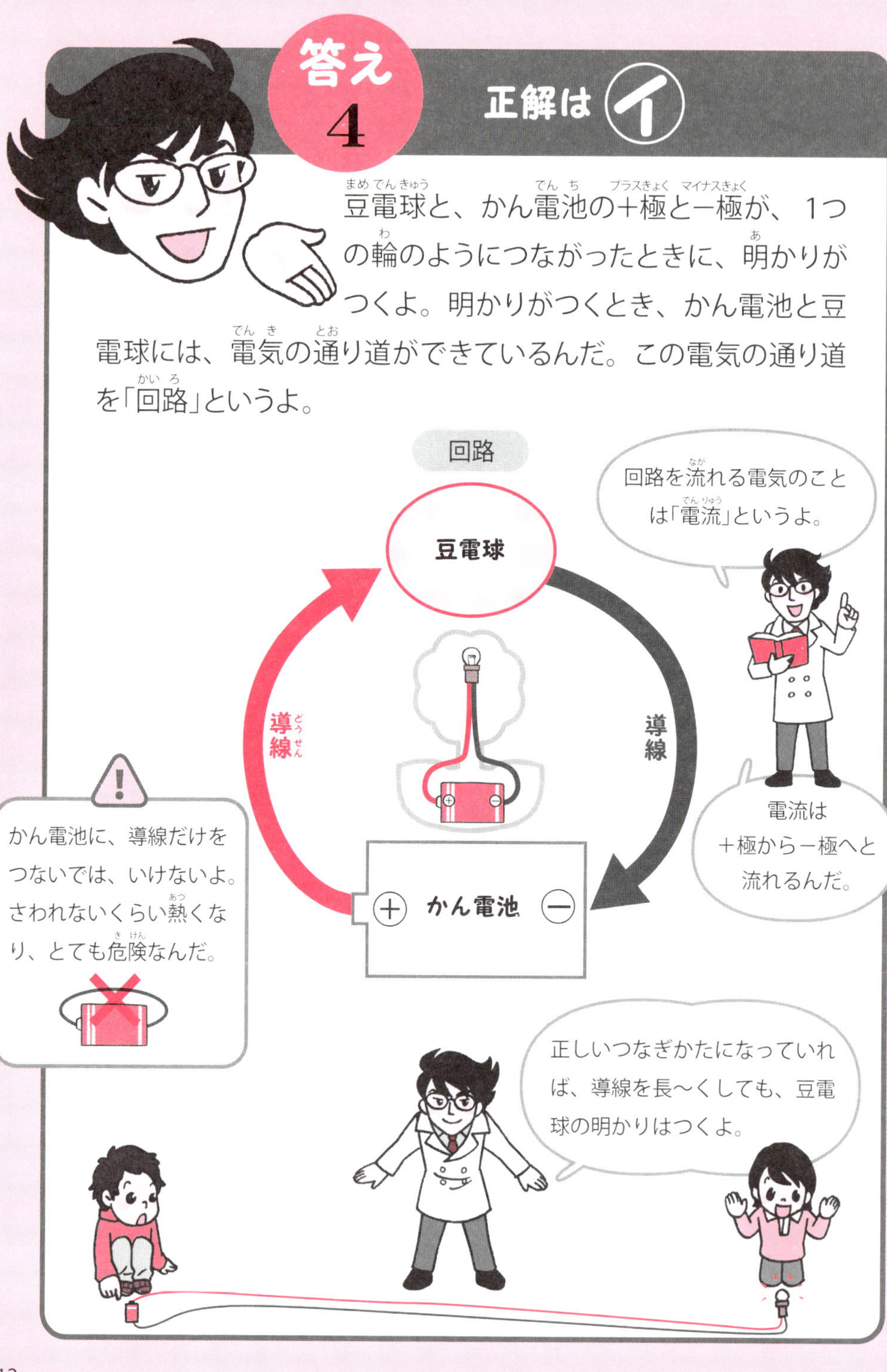

問題5 鏡ではね返した日光を集めると…？

天気の良い日に、外に出て、鏡の実験をしてみよう。鏡を使って日光をはね返して、日かげになっているかべにあてたよ。
鏡が１枚のときと、３枚にしたときに、ちがいはあるかな？ あるとしたら、どんなちがいかな？
㋐〜㋓の中から、１つ選ぼう。

㋐ 明るさも温度も変わらない。

㋑ 明るさは変わらず、温度が高くなる。

㋒ 明るさが増すが、温度は変わらない。

㋓ 明るさが増して、温度も高くなる。

鏡ではね返した日光を、人に向けてはいけないよ。

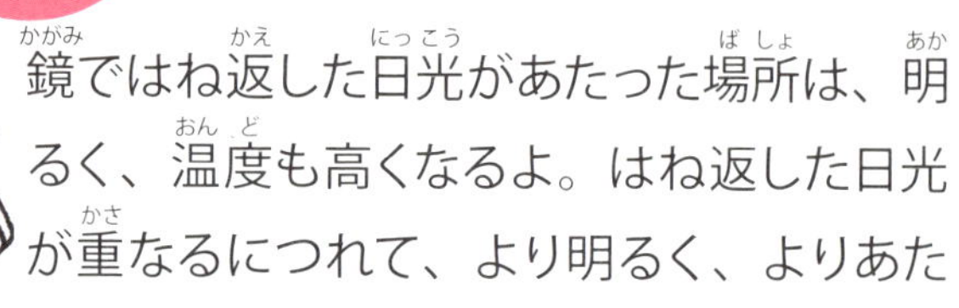

答え 5　正解は エ

鏡ではね返した日光があたった場所は、明るく、温度も高くなるよ。はね返した日光が重なるにつれて、より明るく、よりあたたかくなるんだ。このことから、鏡は日光の明るさとあたたかさをはね返していることがわかるね。

光などがものにあたって、はね返ることを「反射」というよ。

明るさ	暗い	明るい
温度	低い	高い

鏡にものがうつるのは、ものにあたった光が鏡に反射して、わたしたちの目にとどくからだよ。

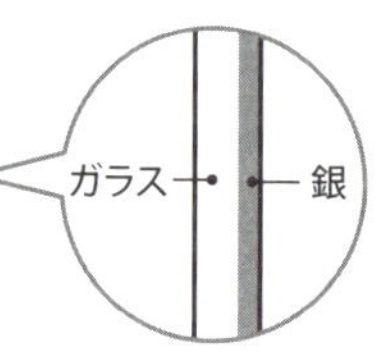

わたしたちが日常で使う鏡の多くは、ガラスの裏側にうすく銀がぬってあるよ。銀は光をほぼ100%反射するんだ。だから鏡には、ものがはっきりと、うつるんだね。

問題 6 てんびんがつり合うのは、どれ？

てんびんに、同じ大きさの鉄のブロックと、木のブロックをのせて、重さをくらべたよ。次の㋐～㋓のうち、てんびんがつり合うのは、どれかな？

木のブロック

鉄のブロック

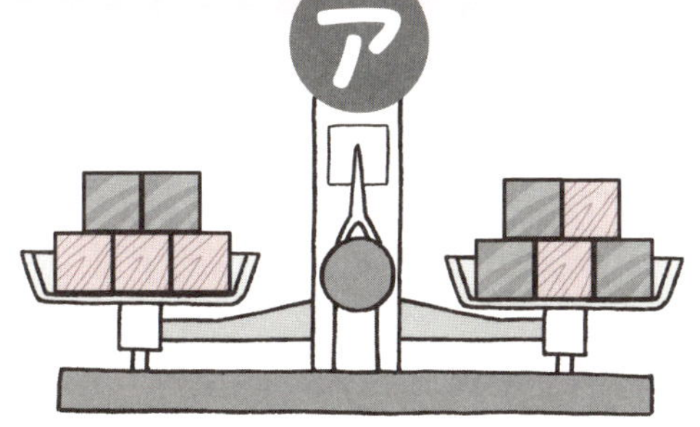

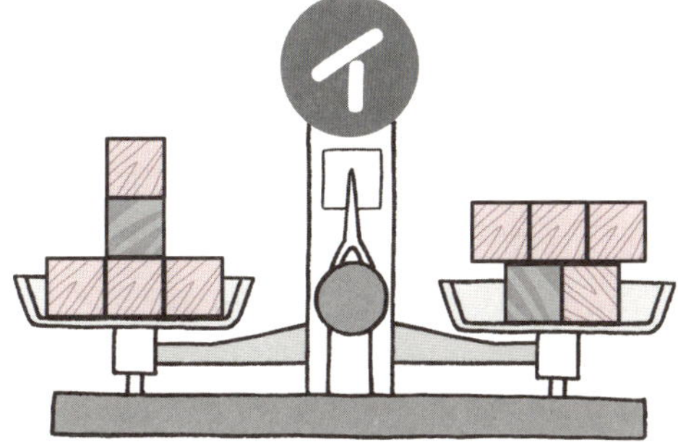

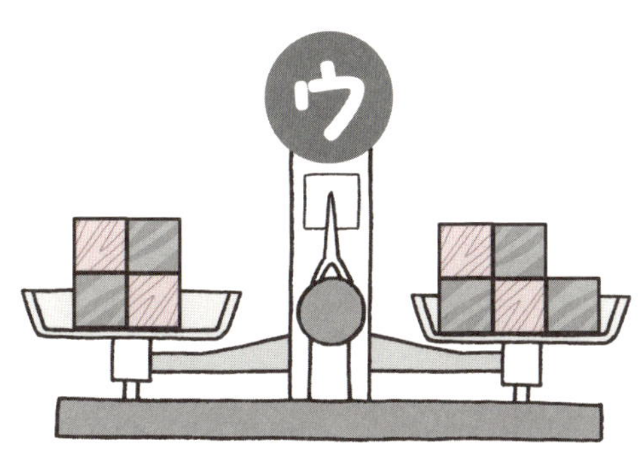

答え6　正解は イ

大きさが同じなら、ふつう木より鉄のほうが重いね。だから鉄のブロックが多くのった皿のほうが重くなり、てんびんはそちらにかたむくんだ。左の皿と右の皿でそれぞれ、木と鉄のブロックの数が同じなら、どんなに積みかたを変えても、てんびんはつり合うよ。

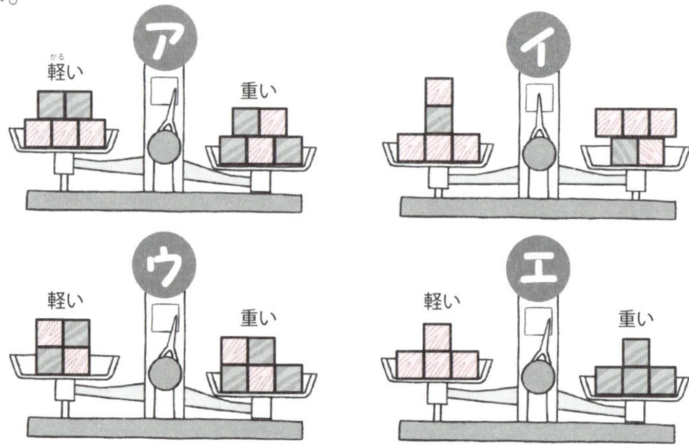

ものの大きさのことを「体積」というよ。同じ体積でも、ものによって重さはちがうね。逆に考えると、同じ重さでも、ものによって体積はちがうことがわかるね。

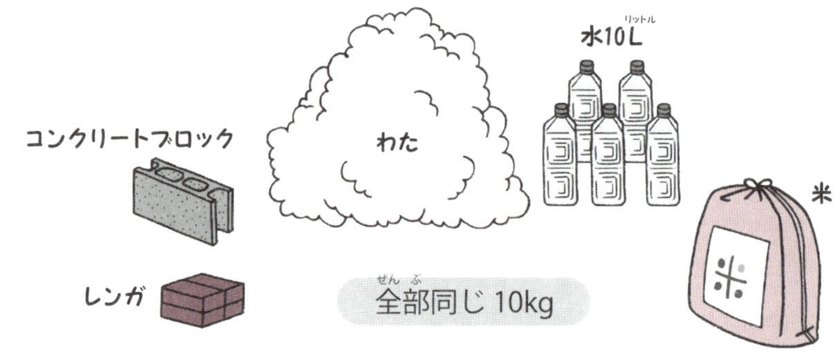

問題7 風船をふくらます方法は、どれ？

空のペットボトルの口に、風船をとりつけたよ。この風船をふくらませるには、どうしたらいいかな？次の㋐～㋓の中から、1つ選ぼう。

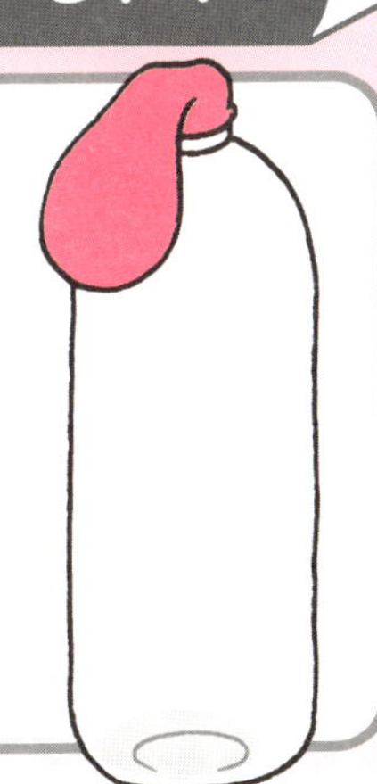

ア 冷たい水につけるんだよ。

イ お湯につけるといいんじゃないかな。

ウ よーくふると、ふくらむんだよ。

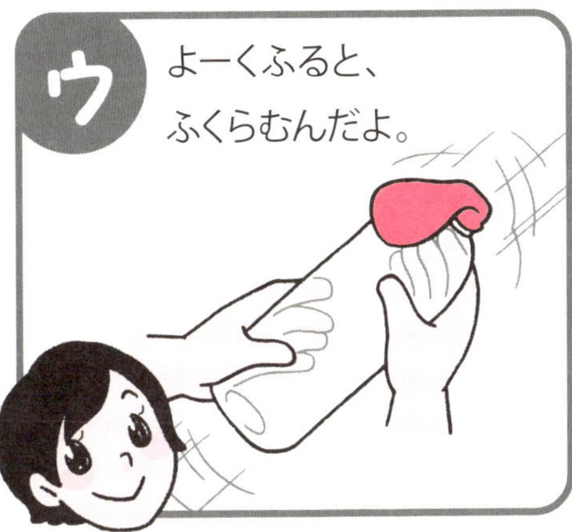

エ 冷ぞう庫に入れておくといいよ。

答え 7

正解は 

空気は、あたためると体積が大きくなるんだ。風船をとりつけたペットボトルを、お湯につけておくと、中の空気があたたまり、体積が大きくなって、風船をふくらますんだね。
このペットボトルを冷たい水につけると、空気の体積は小さくなり、ふくらんだ風船はしぼむよ。

空気だけでなく、水や金属なども、あたためると体積が大きくなり、冷やすと小さくなるんだ。

水

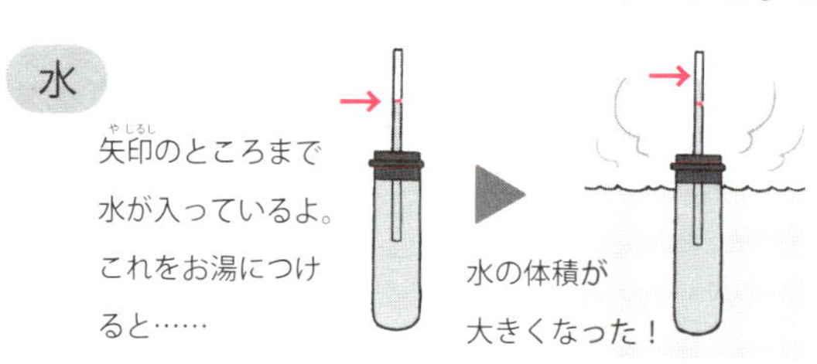

このしくみを利用したのが、温度計だよ。水のかわりに、体積の変化が大きい灯油に色をつけたものが入っているんだ。

鉄道のレールは、あたためられてのびてもいいように、すき間があけられているよ。

このすき間がないと、レールはゆがんでしまうんだ。

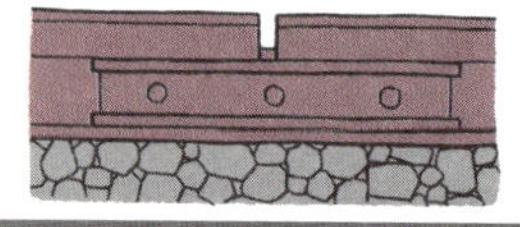

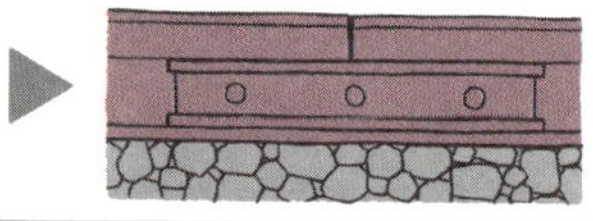

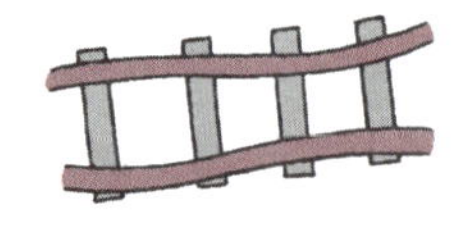

問題 8　わりばしで、ペットボトルを持ち上げるには?

じょうごを使って、ペットボトルの口いっぱいまでお米を入れよう。

2

答え 8

ものどうしがこすれるときに、はたらく力を「まさつ力」というよ。この実験は、まさつ力を利用しているんだ。わりばしをお米の中に差しこみながら、ゆらしたり、軽く机に打ちつけたりすると、お米がぎゅっとつまって、こすれる部分が多くなる。すると、まさつ力が大きくなって、わりばしを持ち上げても、ぬけなくなるんだね。

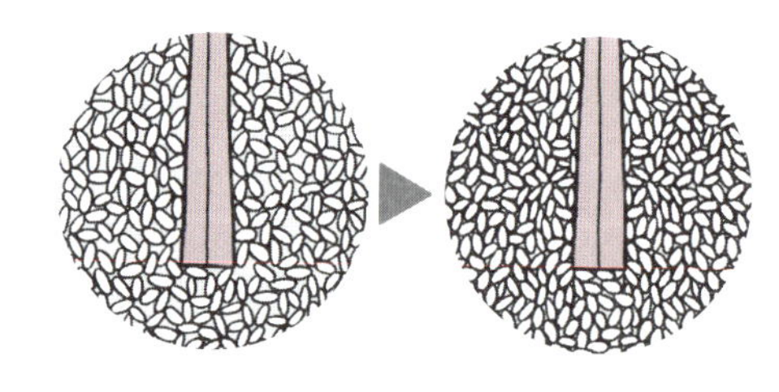

まさつ力の実験は、紙でもできるよ。まんが雑誌や電話帳を1ページずつ交互に重ね合わせると……

問題 9 水蒸気(すいじょうき)は、どれかな？

やかんやなべに水を入れて、ガスコンロで熱(ねっ)し続(つづ)けると、やがて、あわが出てきて、わき立つね。
この状態(じょうたい)を「ふっとう」というよ。
水はほぼ100℃になると、ふっとうして「水蒸気」にすがたを変(か)えるんだ。
では、次の㋐～㋓のうち、水蒸気はどれかな？ 全(すべ)て選(えら)ぼう。

答え 9　正解は イ エ

水蒸気は、空気のように目には見えないよ。㋐の湯気は、水蒸気とまちがえやすいけれど、白く見えるのは水のつぶなんだ。水のつぶに光が反射しているんだね。やかんの中の水は、ほぼ100℃になるとふっとうし、水蒸気があわになって出てくる。そして、やかんの口から出た水蒸気は、冷やされて水のつぶになるんだね。

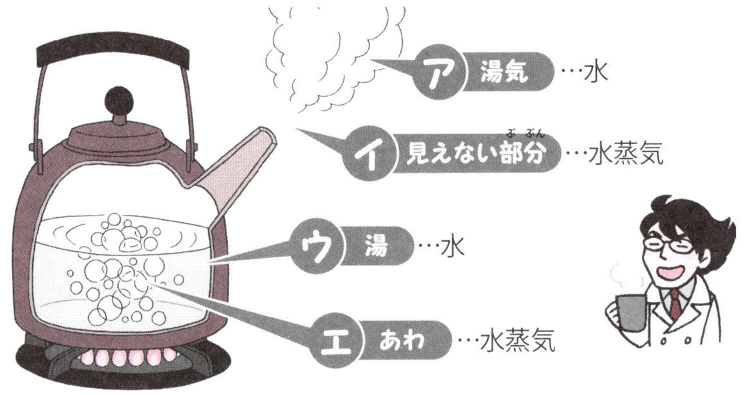

水を冷やしていき、温度が0℃になると、氷になるんだ。水蒸気や空気のようなすがたのことを「気体」、水やアルコールのように、入れる容器によって自由に形を変えられるすがたのことを「液体」、氷や鉄のように、かたまりになっていて、自由に形を変えられないすがたのことを「固体」というよ。

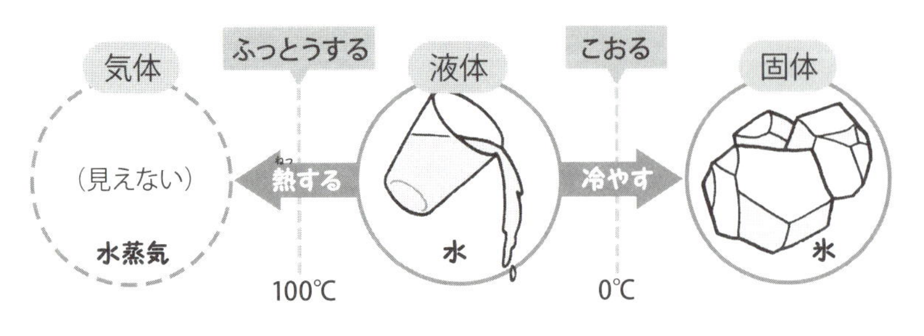

問題10 どのてっぽうの玉が、一番飛ぶ？

下の㋐〜㋓のような４種類の手づくりのてっぽうで、玉の飛ばしくらべをしたよ。
一番よく玉を飛ばせたのは、
どれかな？

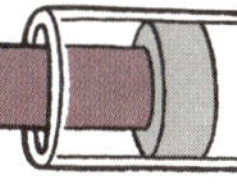

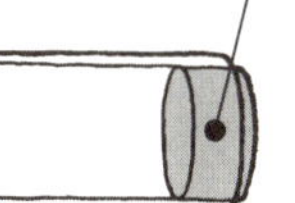

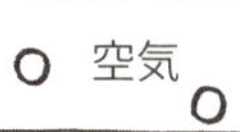

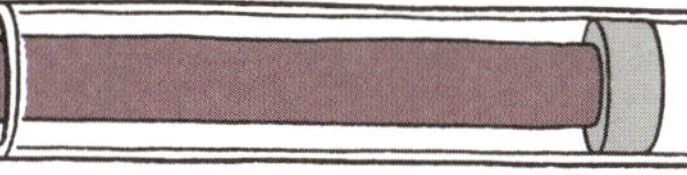

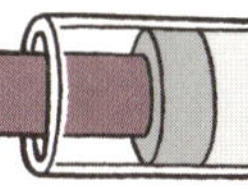

答え10　正解は ア

おし棒をおすと、つつの中にとじこめられた空気がおしちぢめられて、体積が小さくなるんだ。おしちぢめられた空気は、もとの体積にもどろうとして、玉を一気におし出すんだ。㋑は穴から空気が逃げてしまうね。㋒だと、おしちぢめられる空気の量が少ないから、㋐ほどは飛ばないよ。㋓は、中に水が入っているね。水はおしても、空気とちがって、おしちぢめられることはないんだ。だから、いきおいがつかずに、玉はあまり飛ばないよ。

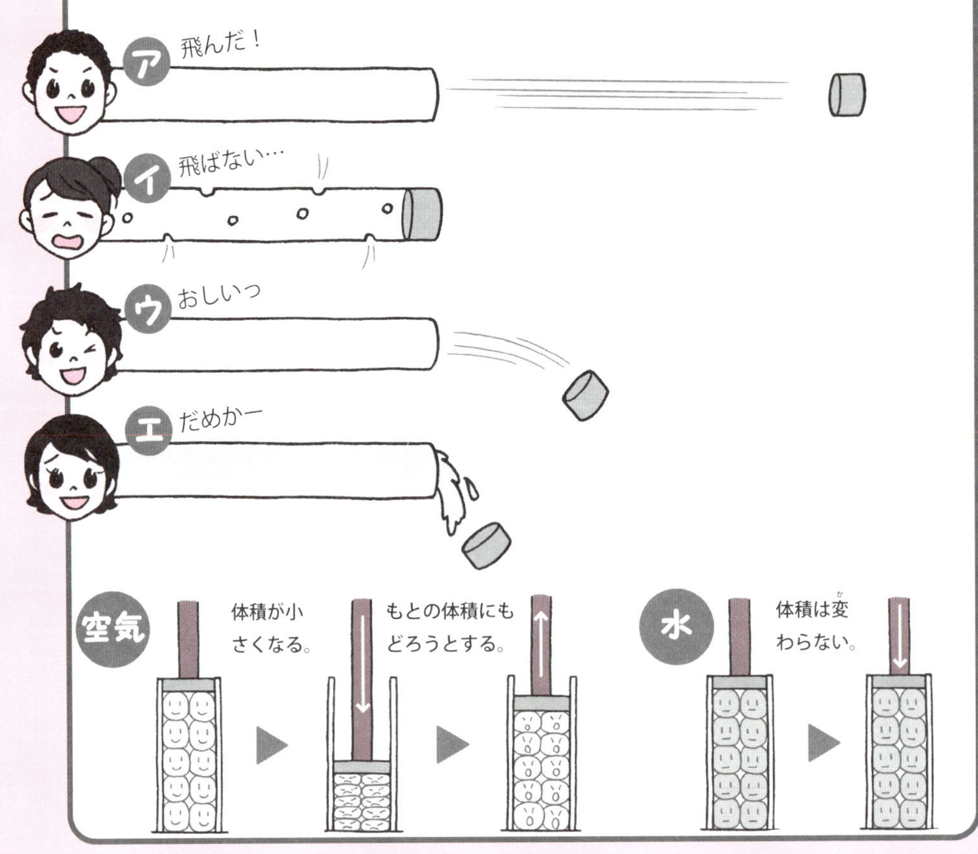

問題11 ソケットなしで明(あ)かりがつくのは、どれ？

11ページでは、ソケットを使って豆電球(まめでんきゅう)に明かりをつけたね。でも、ソケットは使わずに、豆電球とかん電池(でんち)と導線(どうせん)だけでも、明かりをつけることができるよ。

次の㋐〜㋔のうち、明かりがつくのはどれかな？ 3つあるよ。全(すべ)て選(えら)ぼう。

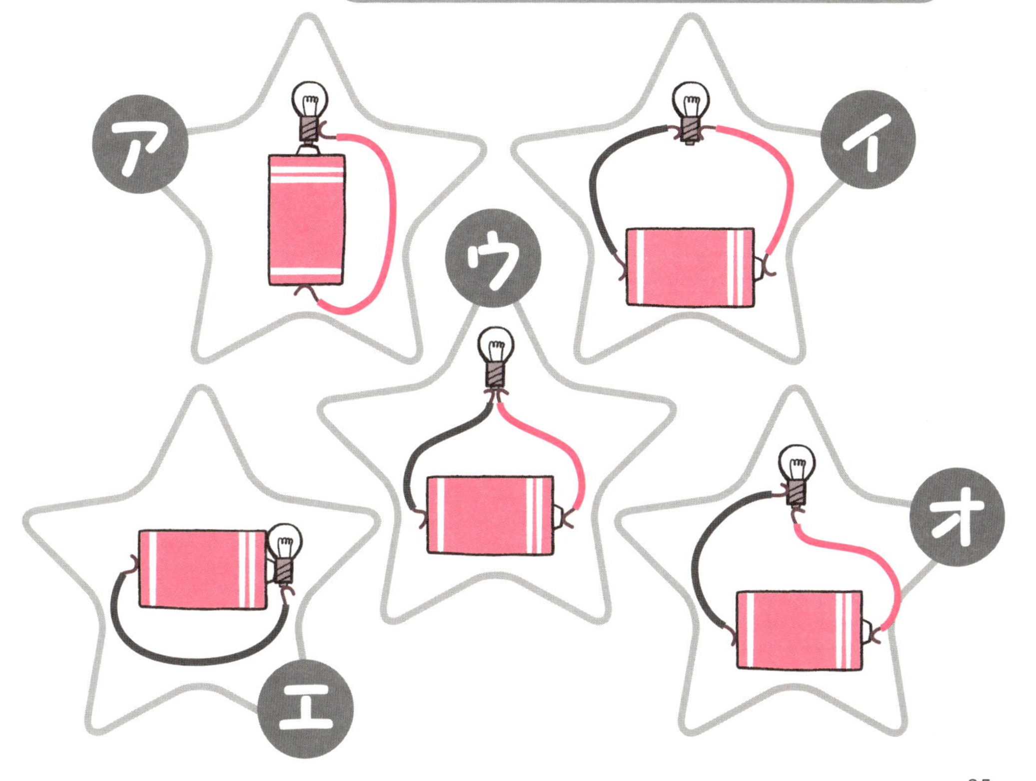

答え 11 正解は ア エ オ

豆電球をたてに切った断面図を見てみると、中に金属の線が通っていることがわかるよ。この線の片方は、ねじの部分に、もう片方はおしりの部分につながっているんだ。ガラスの球の中にある、コイル状になっている細い金属の線は、「フィラメント」といって、ここを電気が通ると豆電球が光るよ。

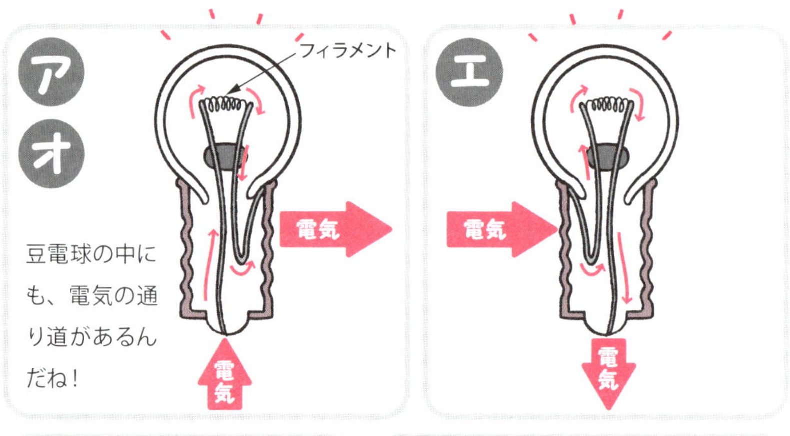

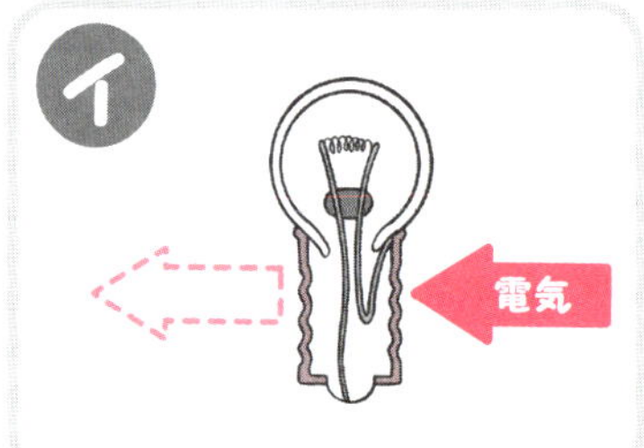

明かりがつかないのがわかったら、導線はすぐにはなそう！

ソケットをよく見ると、導線がおしりの部分とねじの部分に、それぞれついていることがわかるよ。ソケットに豆電球がしっかりとねじこまれると、電気が通って、明かりがつくんだ。

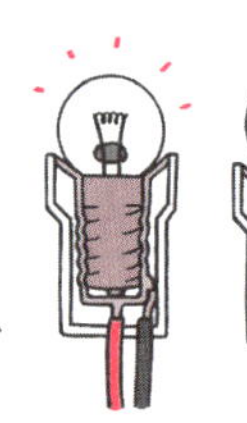

豆電球がしっかりねじこまれていないと、明かりはつかないよ。

問題 12 クリップは、どんなふうに磁石(じしゃく)につく？

磁石は、鉄(てつ)をひきつけることを10ページで学んだね。
鉄でできたクリップがたくさん入った箱(はこ)に、棒(ぼう)磁石を入れて、引(ひ)き上げたよ。クリップは、どんなふうに磁石につくかな？

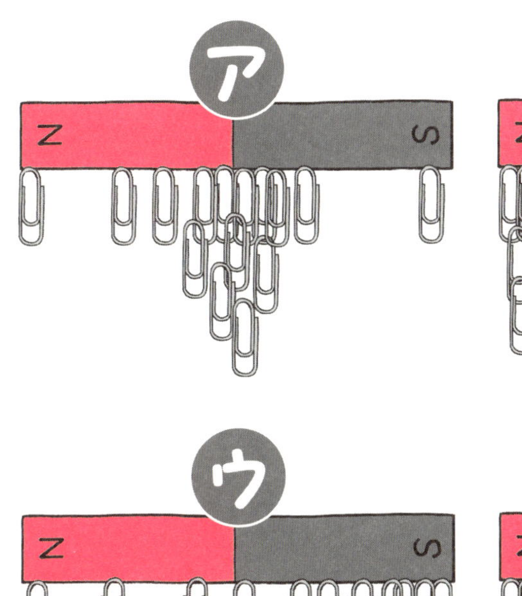

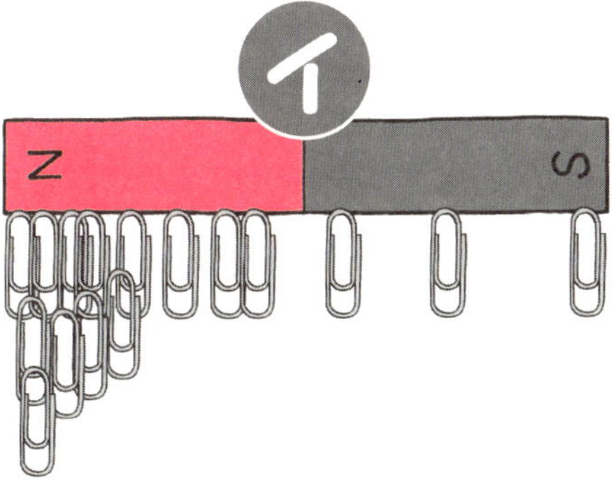

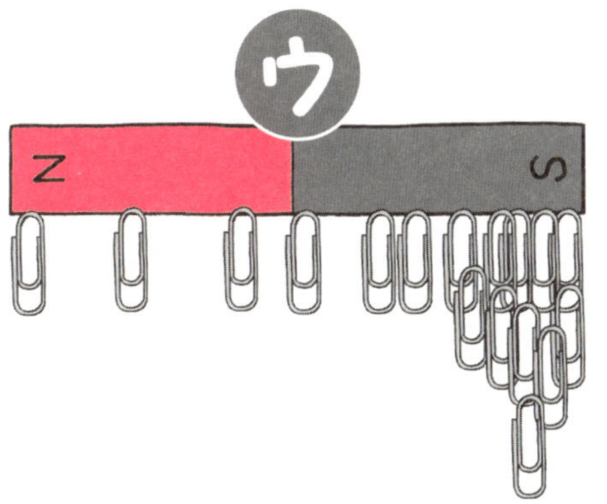

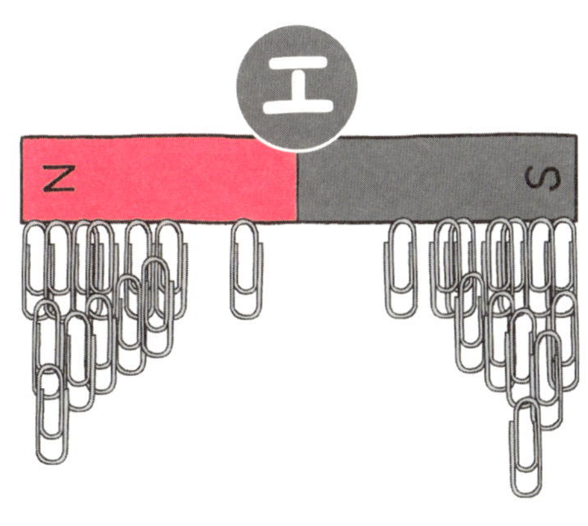

答え 12　正解は ㋓

クリップがたくさんつく場所は、鉄をひきつける磁力が強いことがわかるね。磁石がもっとも強く鉄をひきつけるところを、「極」というよ。棒磁石の場合は両はじだ。どんな形や大きさの磁石にも極があり、ふつう片方が「S極」、その反対側が「N極」なんだ。

磁石から、どんなふうに磁力が出ているのか、砂鉄を使って確かめる方法があるよ。

棒磁石の上に、とう明な下じきをのせ、上から砂鉄をまんべんなくふりかける。

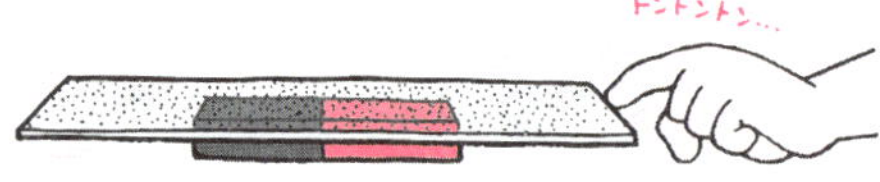

下じきのはしを、指で軽くたたくと…

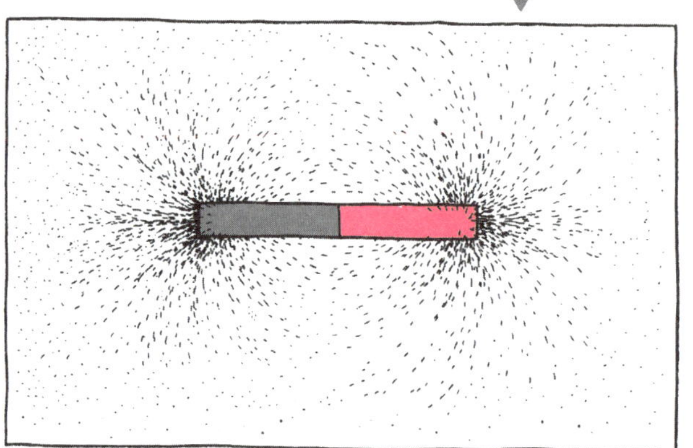

いろいろな形の磁石でためしてみよう！
砂鉄は飛びちらないように、注意してね。

問題13 虫めがねで、紙をこがすには…？

日光があたった場所は、明るくなるだけでなく、温度も高くなるね。虫めがねを使って日光を集めると、紙をこがすこともできるんだ。次のうち、どんな条件がそろうと、一番早く紙をこがすことができるかな？
㋐～㋒、㋕～㋘の中から、それぞれ1つずつ選ぼう。

カ 明るい部分が、なるべく大きくなるようにする。

キ 明るい部分が、なるべく小さくなるようにする。

ク なるべく虫めがねを、近づける。

ケ なるべく虫めがねを、遠ざける。

答え 13 正解は ウ キ

無色とう明に見える日光は、実は、いくつもの色の光が合わさっているんだよ。ものの色は、その色をした光が反射して、わたしたちの目にとどいているんだ。黒という色は、どの色の光も反射せず、光を吸収している状態なんだ。日光の中には、熱を伝える光もふくまれているよ。だから、黒い紙は、一番早くこげるんだね。

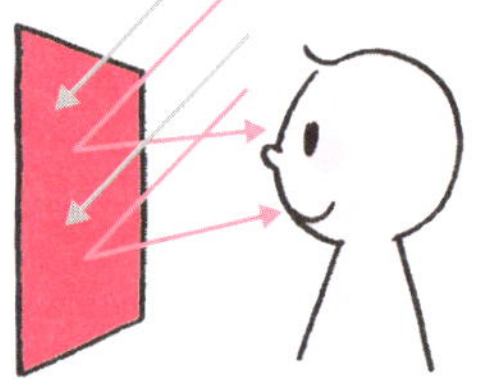

ものに反射した光の色が、「色」として目にとどいている。赤いものなら、赤い光が反射している。

白いものには、ほとんどの光が反射している。

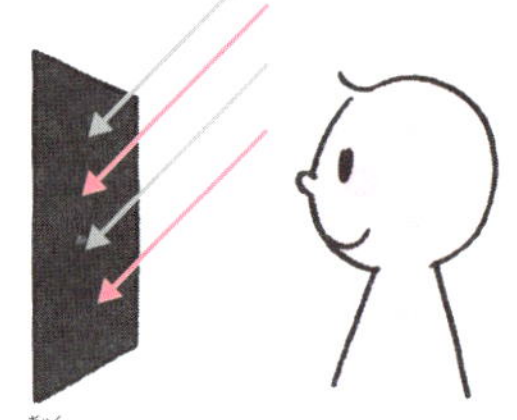

逆に、黒はほとんどの光を吸収する。光にふくまれている熱も吸収している。

虫めがねのレンズは中心がもり上がっているね。このレンズを通ると、日光は折れ曲がって、1か所に集まるよ。日光が一番集まった場所は、せまいはん囲に、日光にふくまれる熱も集中するから、熱くなって紙がこげるんだね。

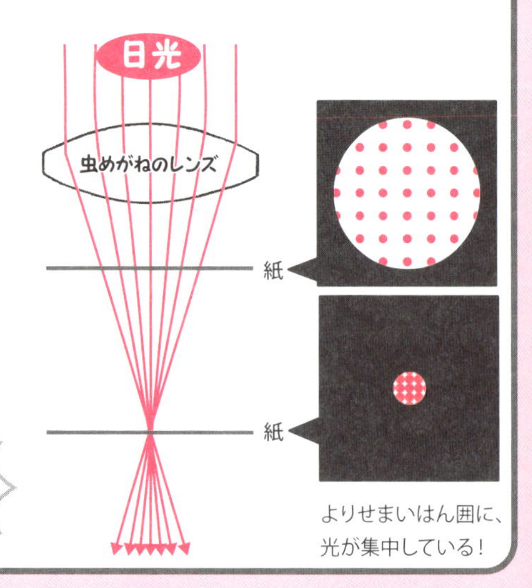

よりせまいはん囲に、光が集中している！

虫めがねで太陽を見てはいけないよ！ 目が傷ついて失明する危険があるんだ。

問題14 どのまきが、一番よく燃(も)える？

まきを燃やす実験(じっけん)をしたよ。
次の㋐〜㋓のうち、まきが一番よく燃えたのは、どれかな？

ア すき間(ま)なく、まきを積(つ)んだよ。

イ すき間をあけて、まきを積んだよ。

ウ すき間なくまきを積み、うちわであおいだよ。

エ すき間をあけてまきを積み、うちわであおいだよ。

答え 14 正解は エ

ものが燃え続けるには、空気が入れかわって新しい空気にふれることが必要なんだ。だから、まきとまきの間に空気の通り道をあけておき、さらにうちわであおいで、新しい空気をとり入れやすくした㋓が、一番よく燃えるんだね。

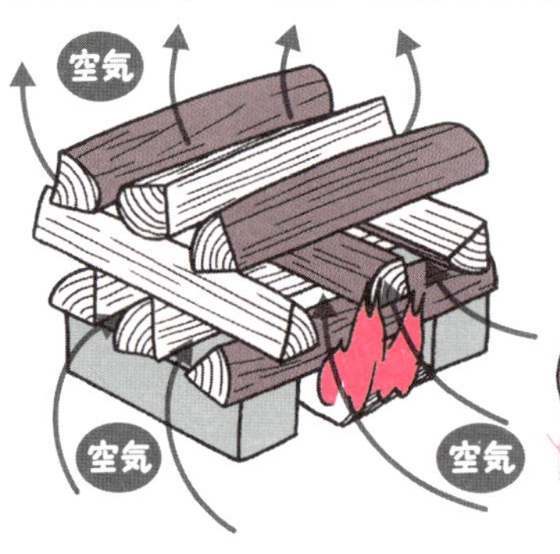

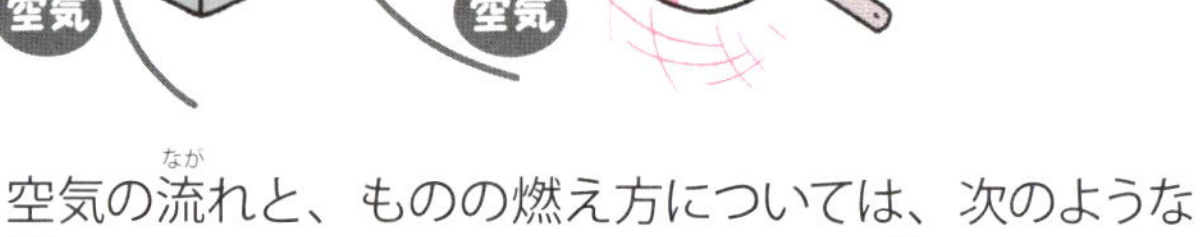

火を使う実験は、子どもだけでやっては、絶対にダメ！！かならず、大人に相談しよう。

空気の流れと、ものの燃え方については、次のような底がないガラスびんを使った実験でも、確かめられるよ。

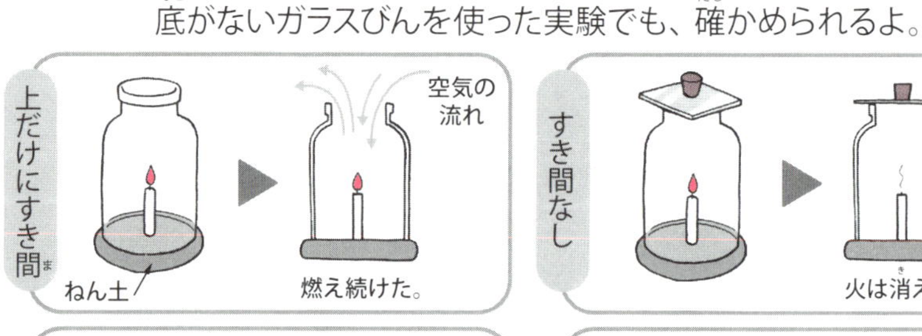

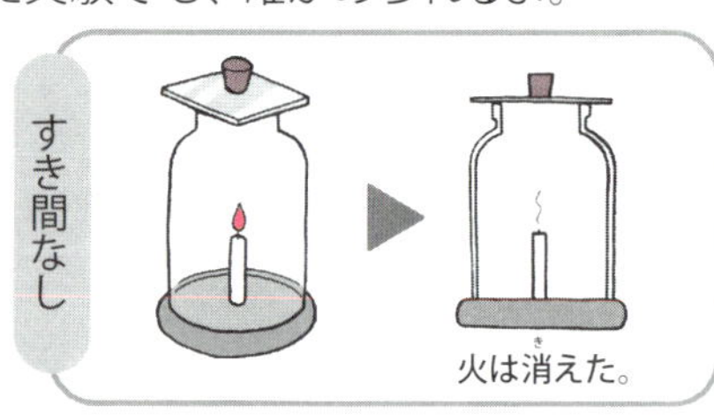

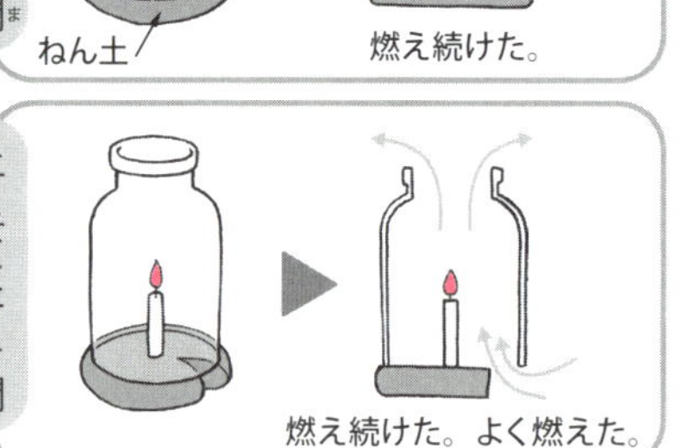

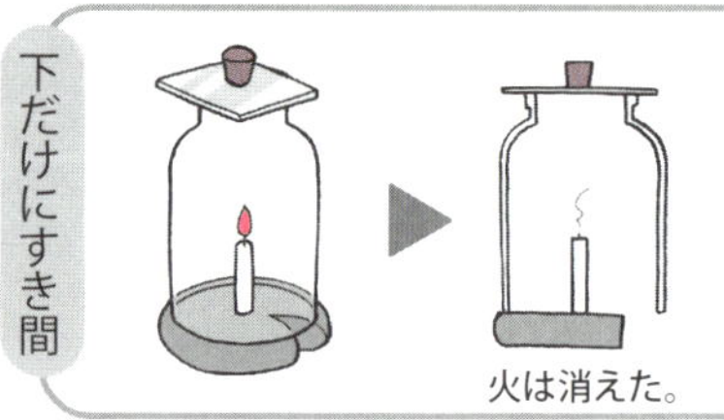

あたたまった空気は、上へのぼっていくんだ。だから、びんの下があいていても、上がふさがっていると、空気の流れはできないんだね。

問題 15 水が氷になると、体積はどうなる？

水は0℃まで冷やすと、氷になるね。水が氷になると、体積に変化はあるのかな？
コップに水を注ぎ、水面の位置に印をつける。それを冷とう庫に入れて、こおらせてみよう。体積は、どうなるかな？

体積は…

ア 大きくなる

イ 変わらない

ウ 小さくなる

答え 15　正解は ア

水は氷になると、体積が10分の1ほど大きくなるよ。また、水が水蒸気になるときも、体積が大きくなって、もとの水の約1700倍にもなるんだよ。

水は、酸素と水素が結びついた「分子」という、とても小さなつぶでできているんだ。水が液体の状態から、水蒸気や、氷に変化するとき、この分子の動き方や、ならび方が変わっているんだよ。

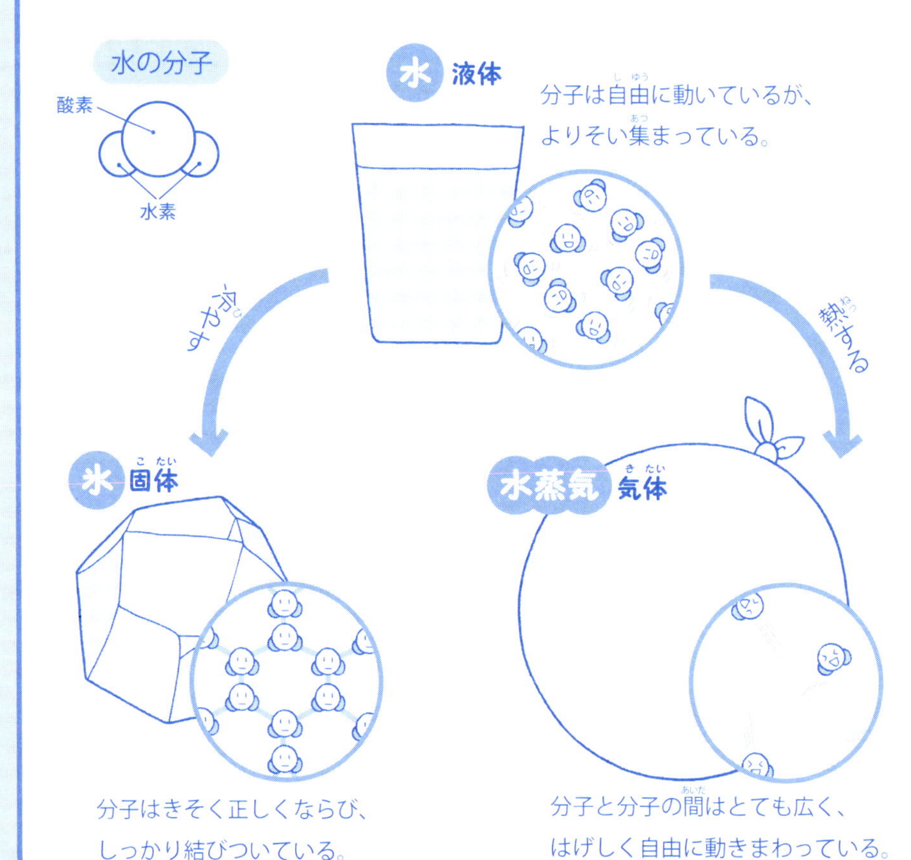

分子はきそく正しくならび、
しっかり結びついている。

分子と分子の間はとても広く、
はげしく自由に動きまわっている。

問題16 S極としりぞけ合うのは？

棒磁石を中に入れた、ネコのおもちゃをつくったよ。
別の棒磁石のS極を、ネコの頭の方に近づけたら、ネコはくるっとおしりを向けてくっついたよ。ネコの頭の方には、S極とN極、どっちが入っているのかな？

棒磁石のまん中を、糸でとめてつるし、その両側に画用紙をはりつけたよ。

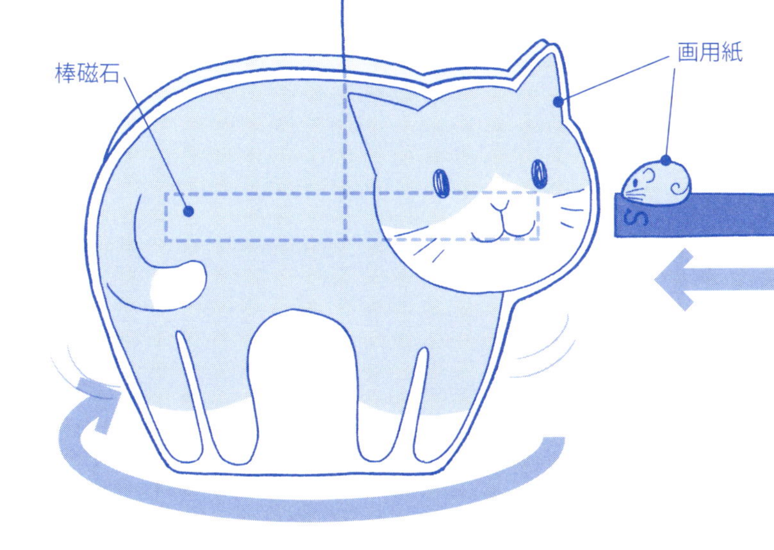

ア S極　　イ N極

答え16　正解はア

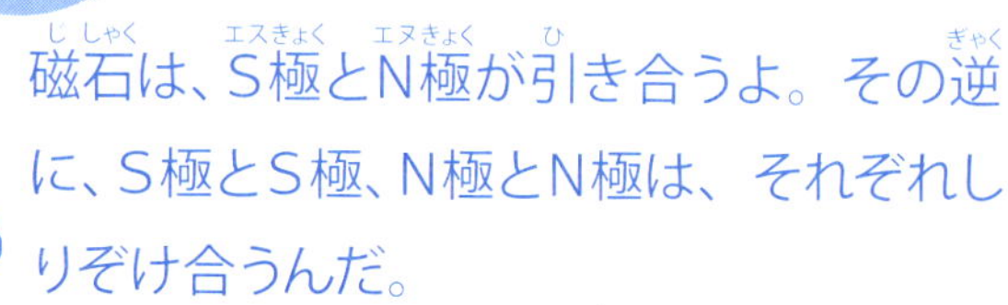

磁石は、S極とN極が引き合うよ。その逆に、S極とS極、N極とN極は、それぞれしりぞけ合うんだ。

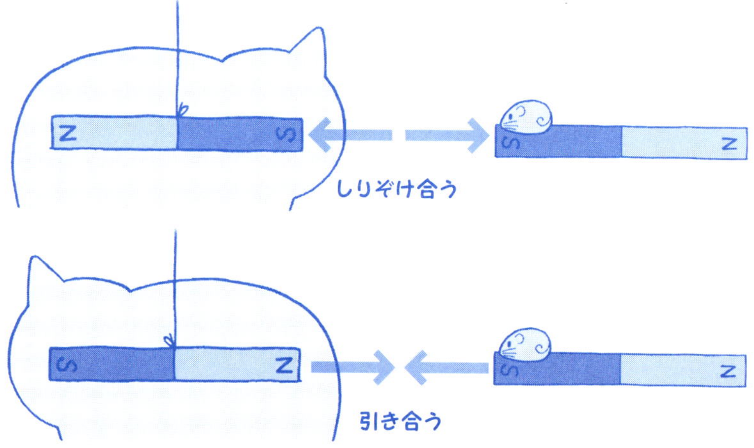

磁石を糸でつるして、しばらくすると、N極は北を、S極は南を向いて止まる。これは、地球が巨大な磁石だからなんだ。北極はS極だから、磁石のN極と引き合うんだ。南極はN極だよ。この性質を利用して、方角を知るためにつくられた道具が「方位磁針」なんだ。

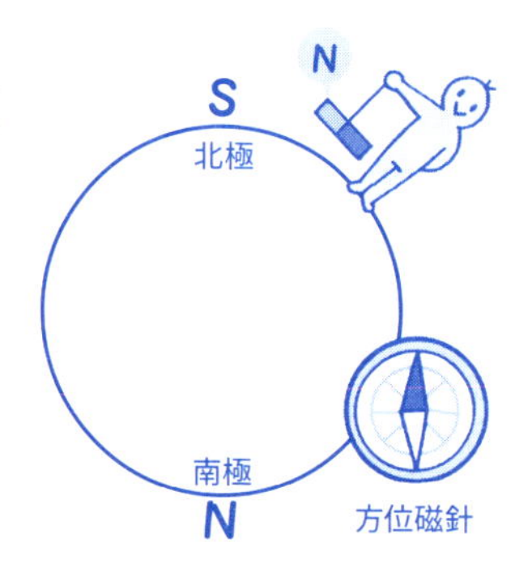

メモ

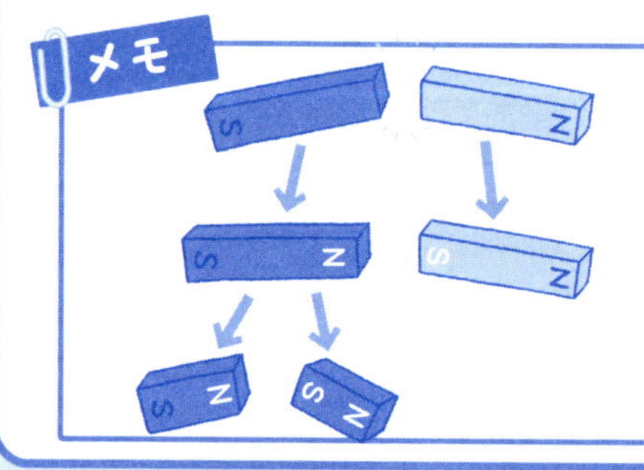

棒磁石をまん中で折ると、極はどうなると思う？ それぞれのはしが、S極とN極になるんだ！ 28ページで学んだとおり、磁石にはかならず、S極とN極、両方できるよ。

問題17 バターが溶ける順番は？

下の絵のような、切りこみが入った金属の板を用意したよ。この上にバターを置いて、1か所をバーナーの火で熱する実験だ。㋐～㋕のバターは、どんな順番で溶けていくかな？

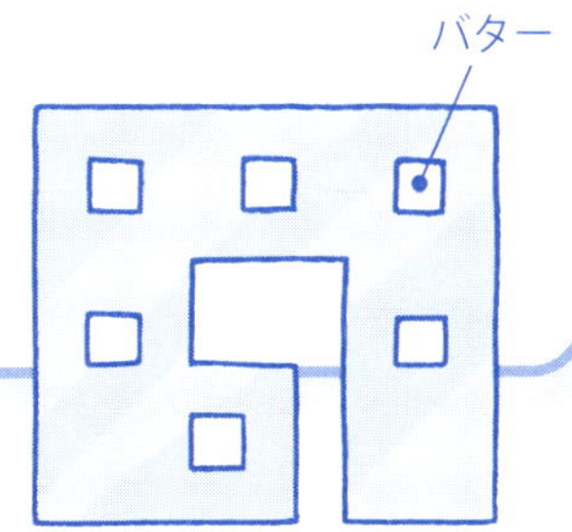

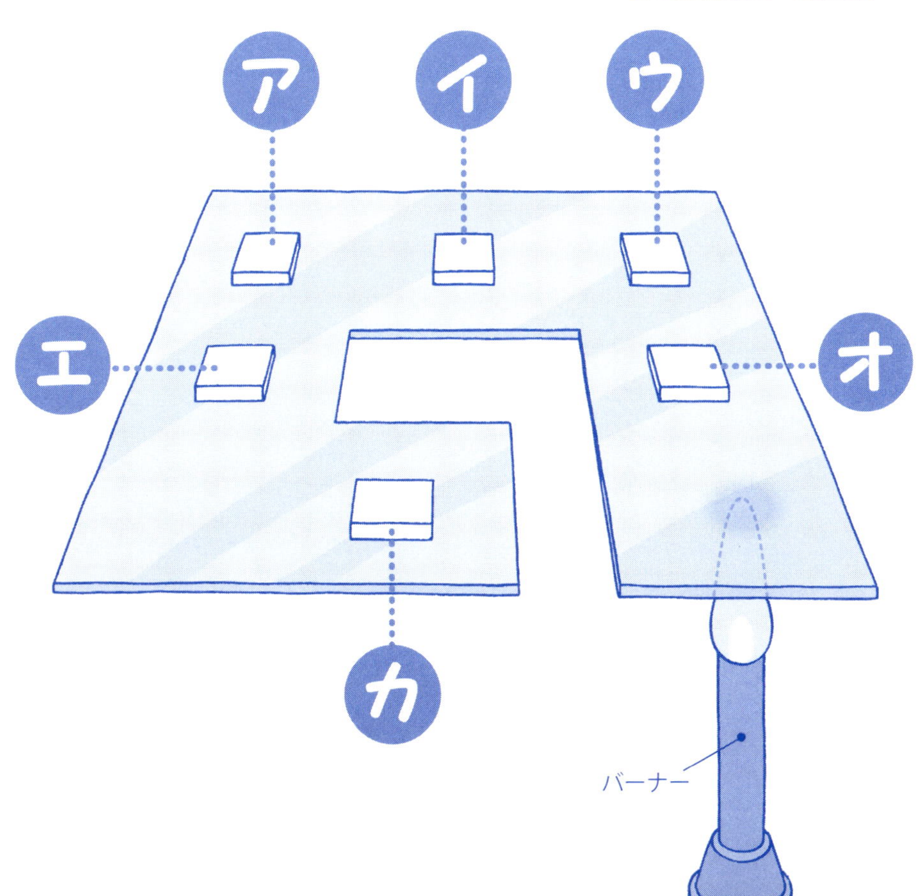

答え17　正解はオウイアエカ

金属は、熱せられたところから順に、遠くの方へと熱が伝わって、あたたまっていくよ。このような熱の伝わり方を、「伝導」というよ。

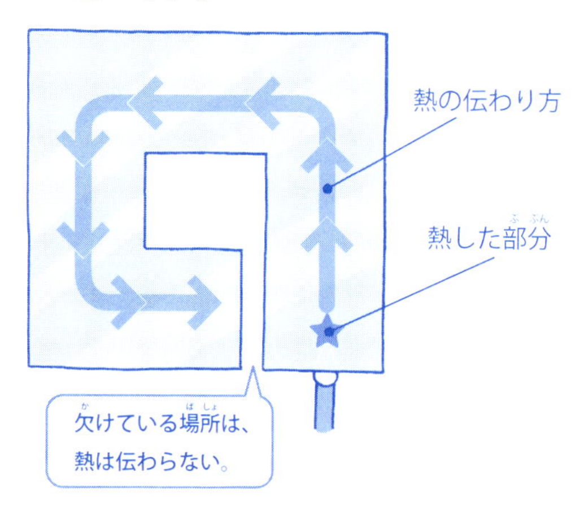

形がちがう金属でも、熱した部分から順に熱が伝わっていくよ。

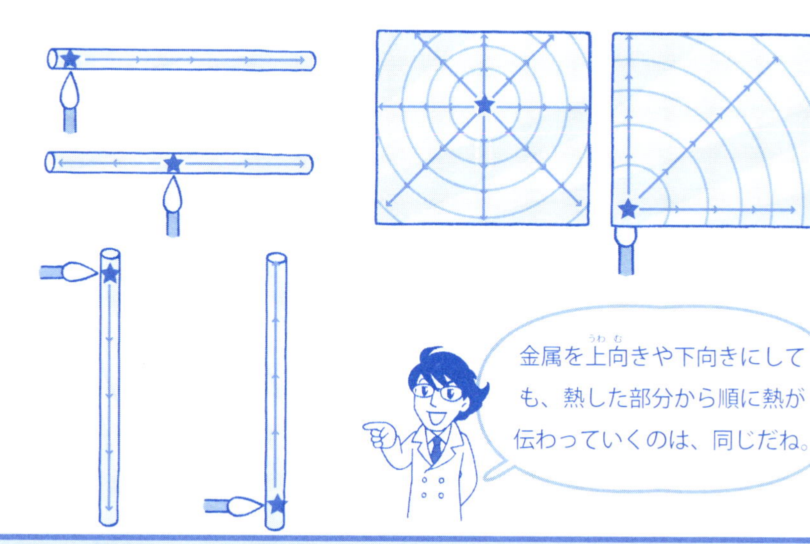

燃えない紙の器!?

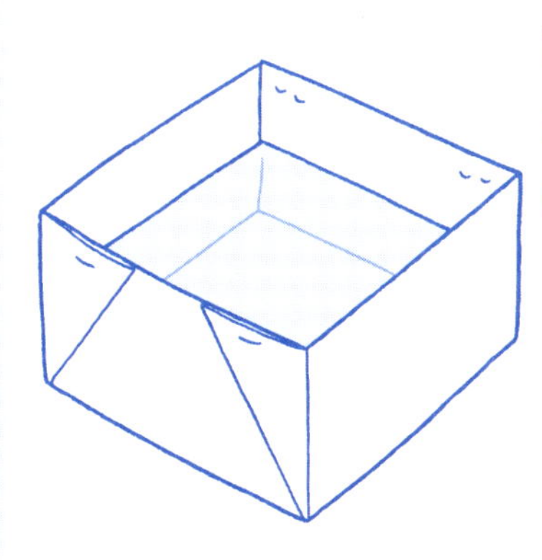

画用紙でつくった器に、水を入れたよ。これを火にかけて、お湯をわかすことは、できるかな?

無理だよ。
紙は火にかけると
燃えちゃうよ。

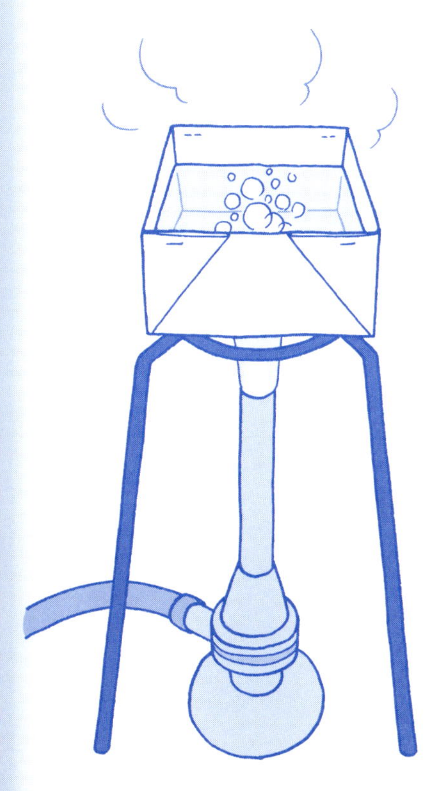

ところが、中の水がふっとうしても、紙の器は燃えないんだよ。
水は温度が100℃になると、ふっとうするね。そのまま加熱し続けても、水は100℃以上にはならないんだ。
紙が燃える温度は、およそ300℃。
だから、紙の器は燃えずに、お湯をわかすことができるんだね。

…とはいえ、水がない部分の紙に火が燃えうつったり、お湯がこぼれる危険があるから、この実験は、家庭でやってはダメだよ!!

問題18 電気が通っているのは、どれ？

かん電池と豆電球の間に、いろいろなものをつなげてみたよ。
次の㋐～㋗のうち、電気が通っているのはどれかな？ スタートからゴールまで、たどりながら、選んでいこう！

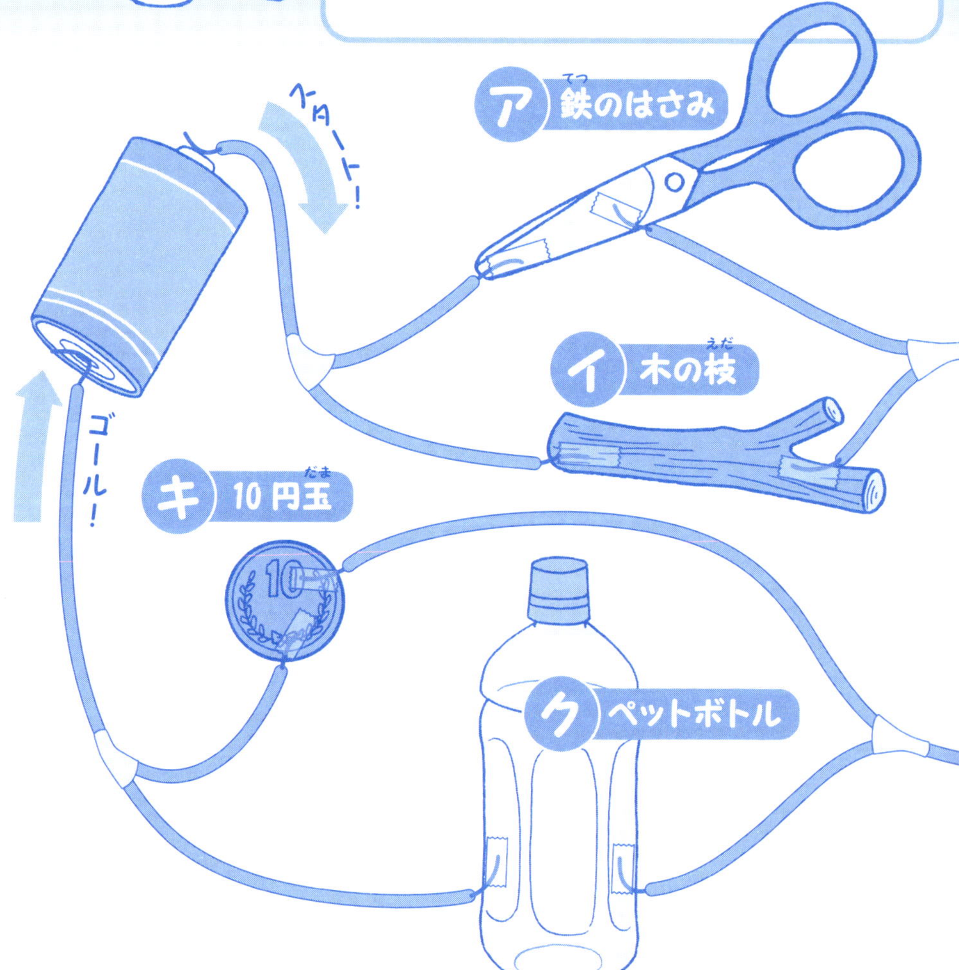

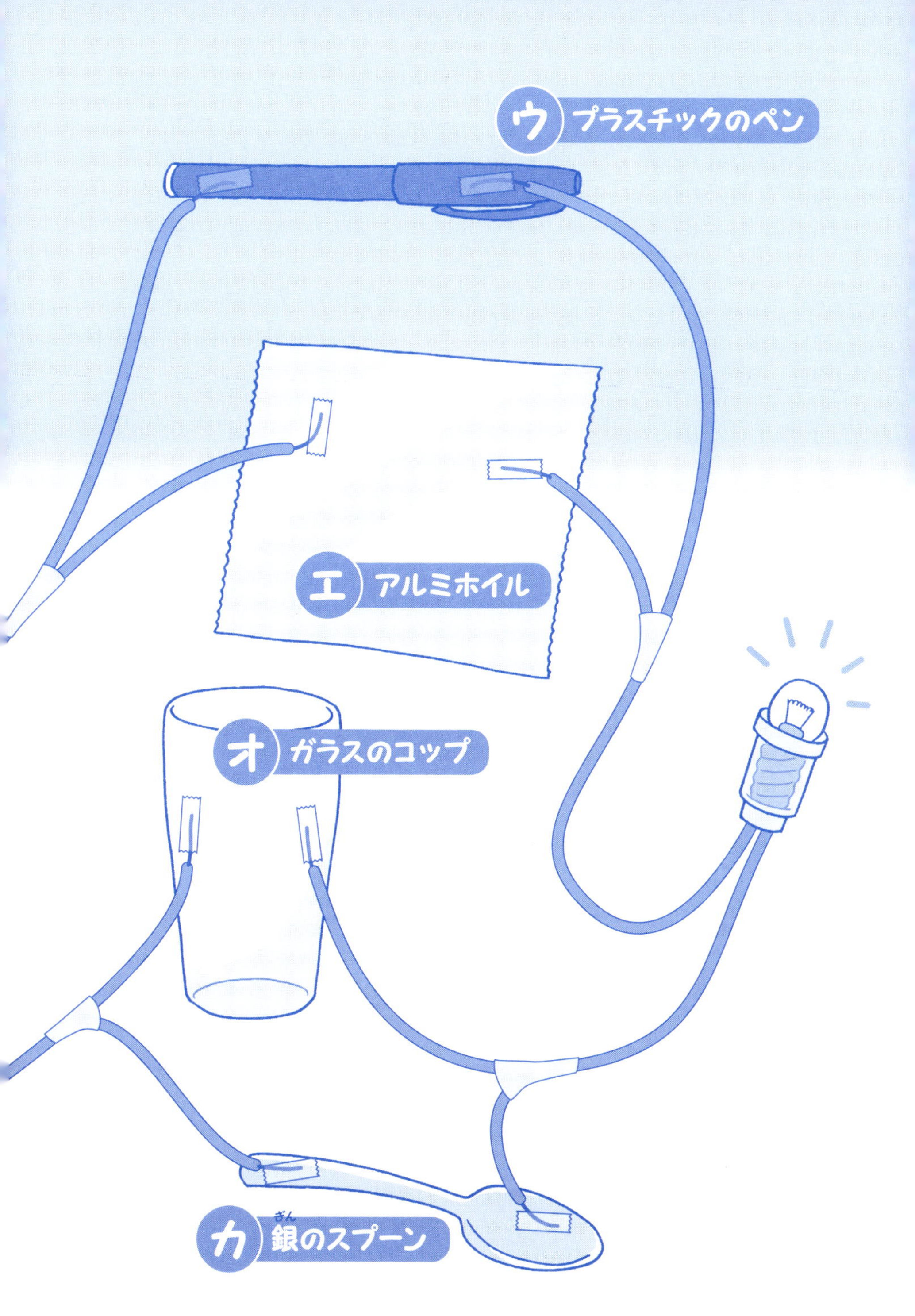
ウ プラスチックのペン
エ アルミホイル
オ ガラスのコップ
カ 銀のスプーン

答え18 正解は ア エ カ キ

鉄(てつ)のはさみ、アルミホイル、銀(ぎん)のスプーン、10円玉(だま)、これらのものはすべて金属(きんぞく)でできているね。金属は電気(でんき)を通(とお)す性質(せいしつ)があるんだよ。逆(ぎゃく)に、木やプラスチック、ガラス、紙などは電気を通さないんだ。

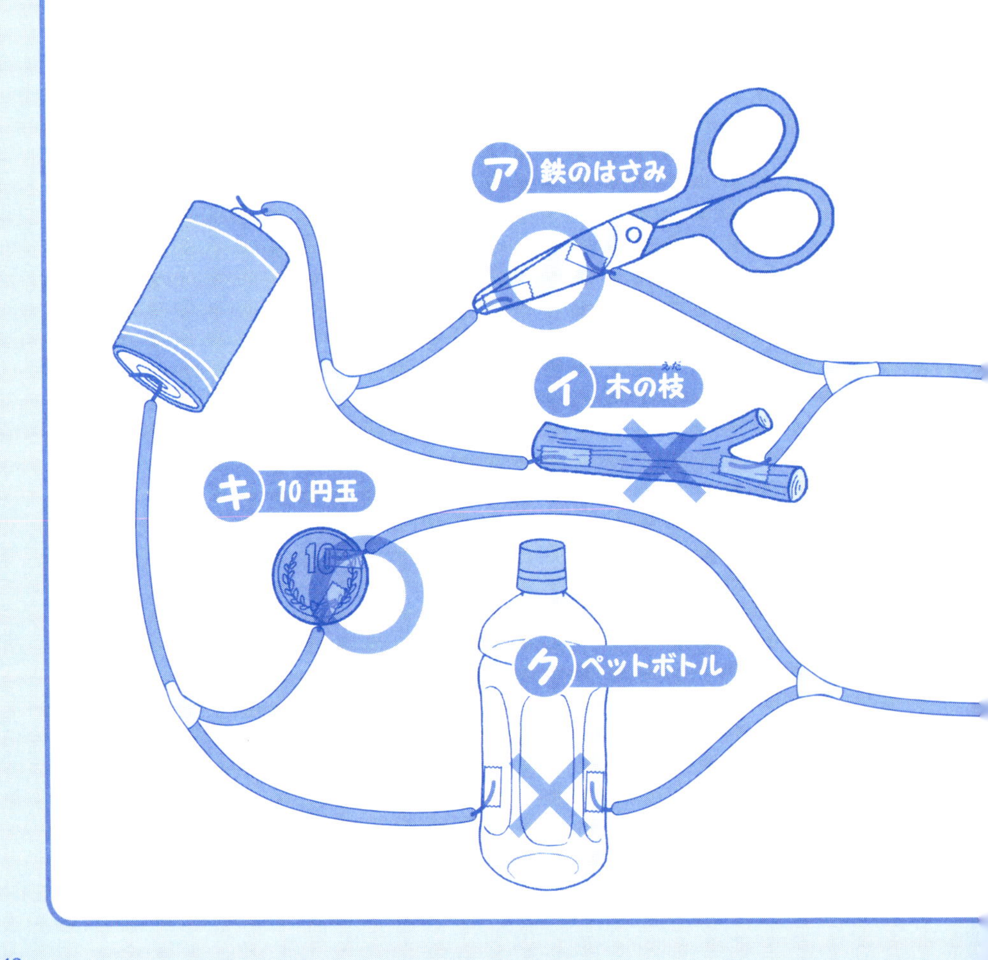

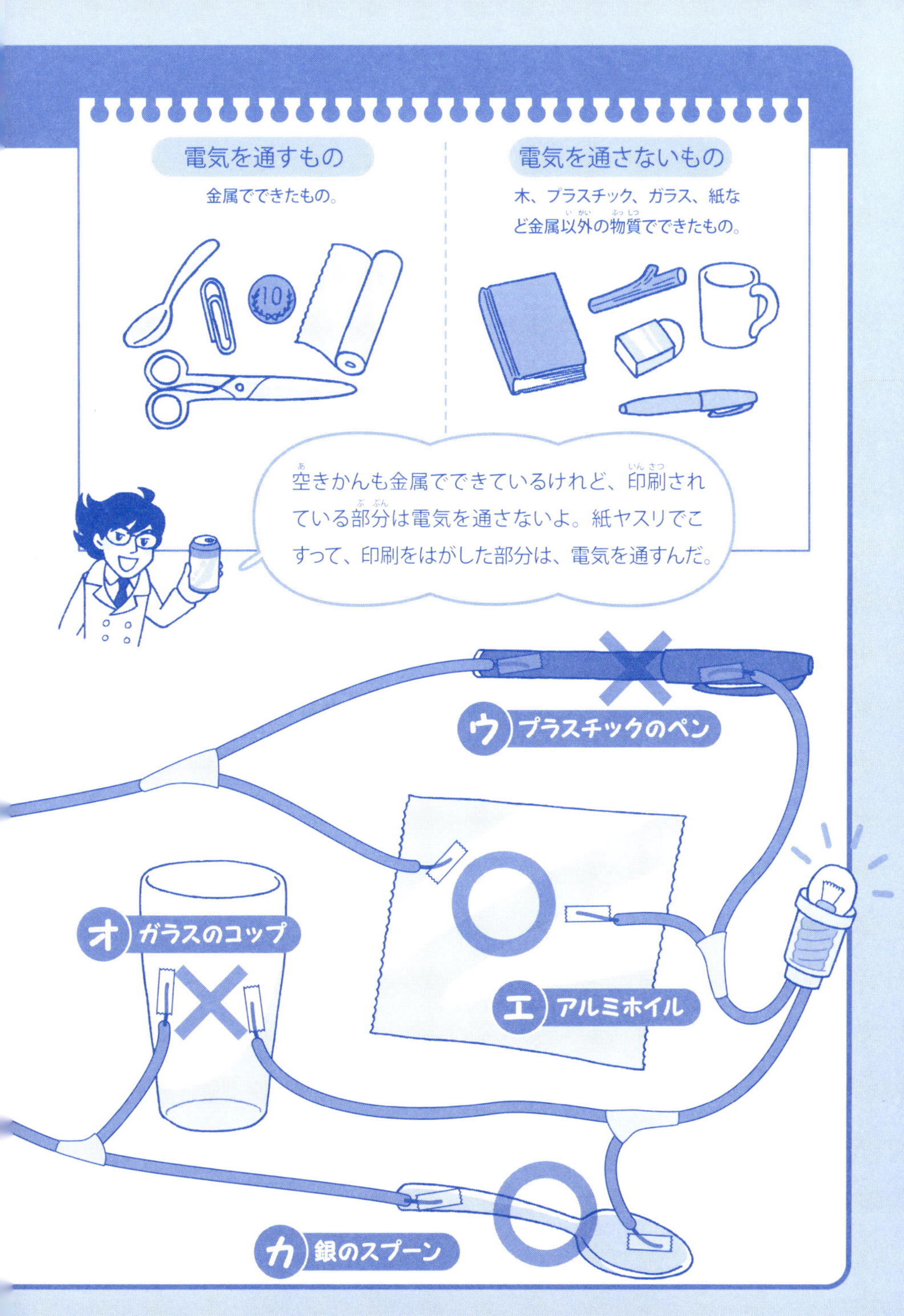
電気を通すもの
金属でできたもの。
10
電気を通さないもの
木、プラスチック、ガラス、紙など金属以外の物質でできたもの。
空きかんも金属でできているけれど、印刷されている部分は電気を通さないよ。紙ヤスリでこすって、印刷をはがした部分は、電気を通すんだ。
ウ プラスチックのペン
エ アルミホイル
オ ガラスのコップ
カ 銀のスプーン

問題19　この実験器具の名前は？

理科室には、たくさんの器具があり、いろいろな実験ができるね。実験器具の名前は、いくつわかるかな?
下の①～⑧の名前の順に、実験器具をならべかえよう!

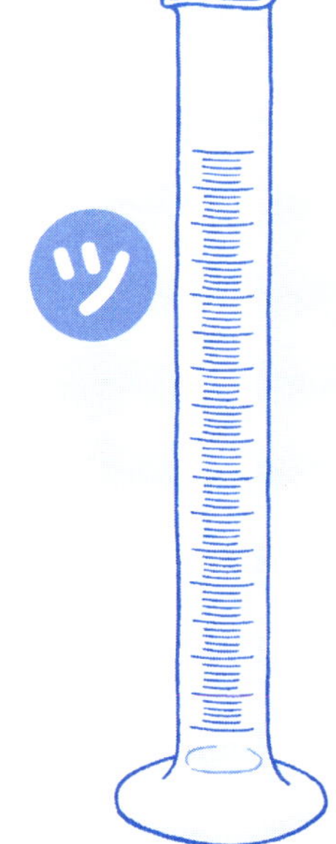

ケ

シ

①	②	③	④
ビーカー	丸底フラスコ	ろうと	試験管

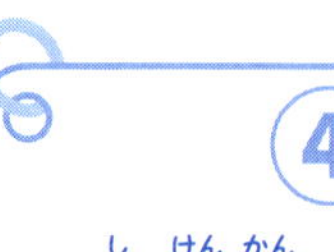

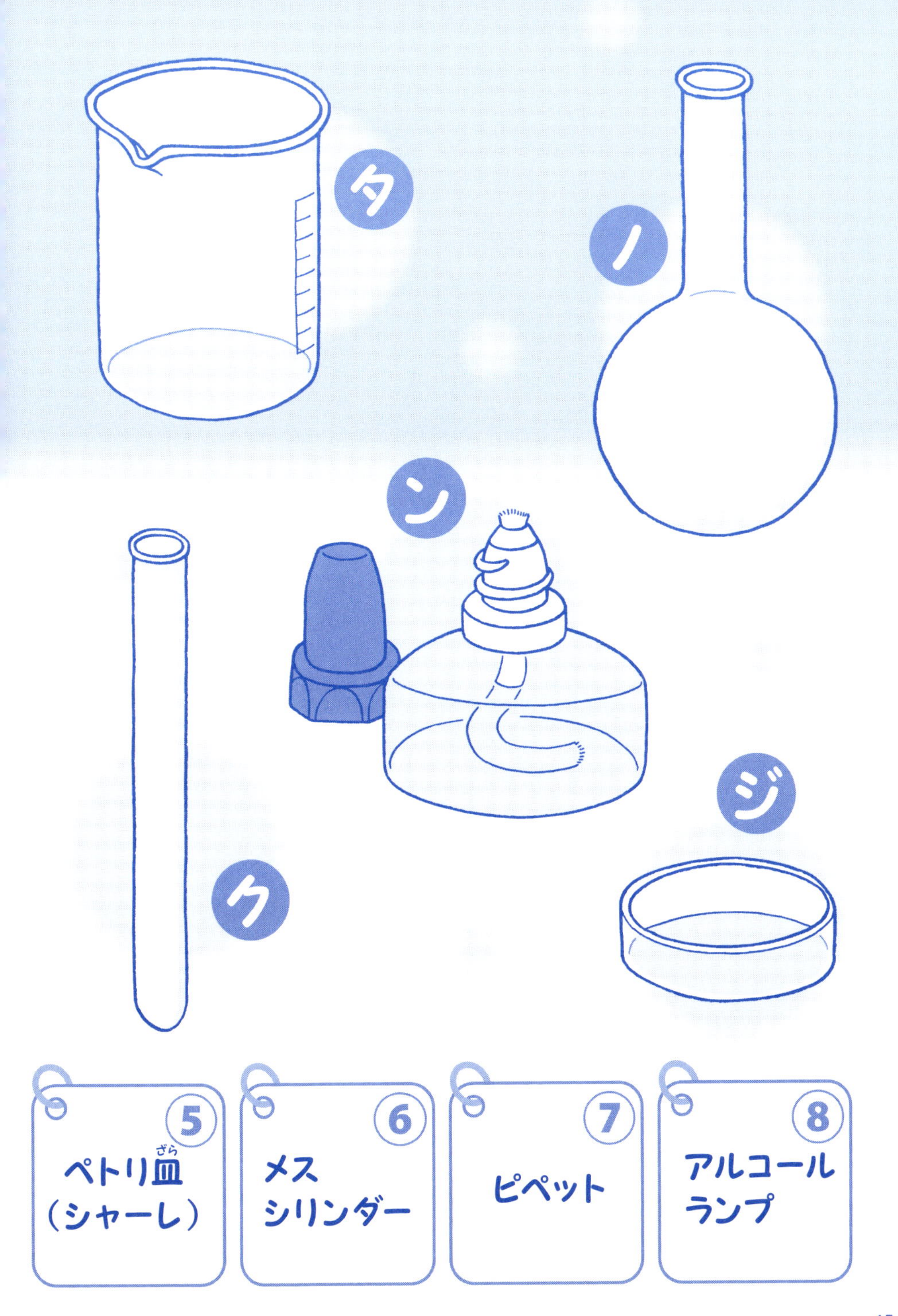
タ
ノ
ン
ク
ジ
5
ペトリ皿(ざら)
（シャーレ）
6
メス
シリンダー
7
ピペット
8
アルコール
ランプ

答え19 タノシクジッケン

実験器具には、ガラスでできたものが、多くあるね。使い方をまちがえると、割れてケガをすることもあるから、注意が必要だ。

かたいものを入れるときは、そっとすべらせよう。

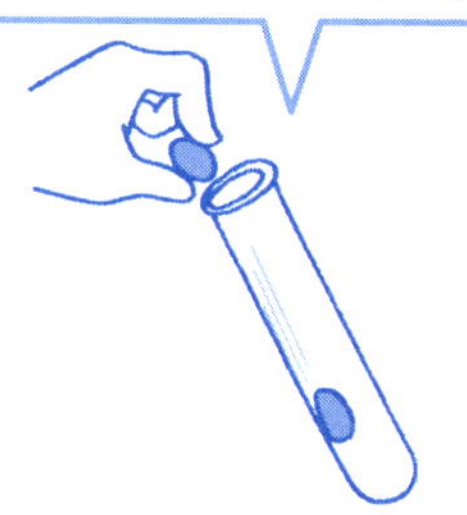

ガラス棒で混ぜるときは、ぶつけないように気をつけよう。

洗うときは、底をつきやぶらないように気をつけよう。

アルコールランプを消すときは、ふき消してはいけない。横からふたをかぶせて消そう。

ピペットは、正しく持とう。ゴムの部分だけ持つと、ガラス管がぬけ落ちる危険があるよ。

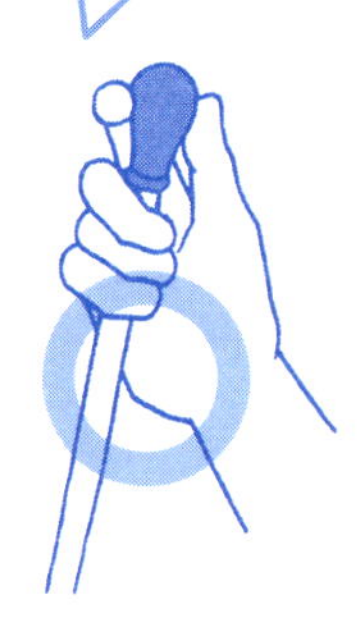

直火で加熱しない。かならず、専用のセラミック付きあみの上に置こう。

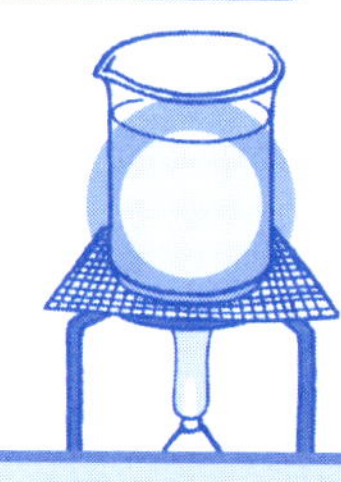

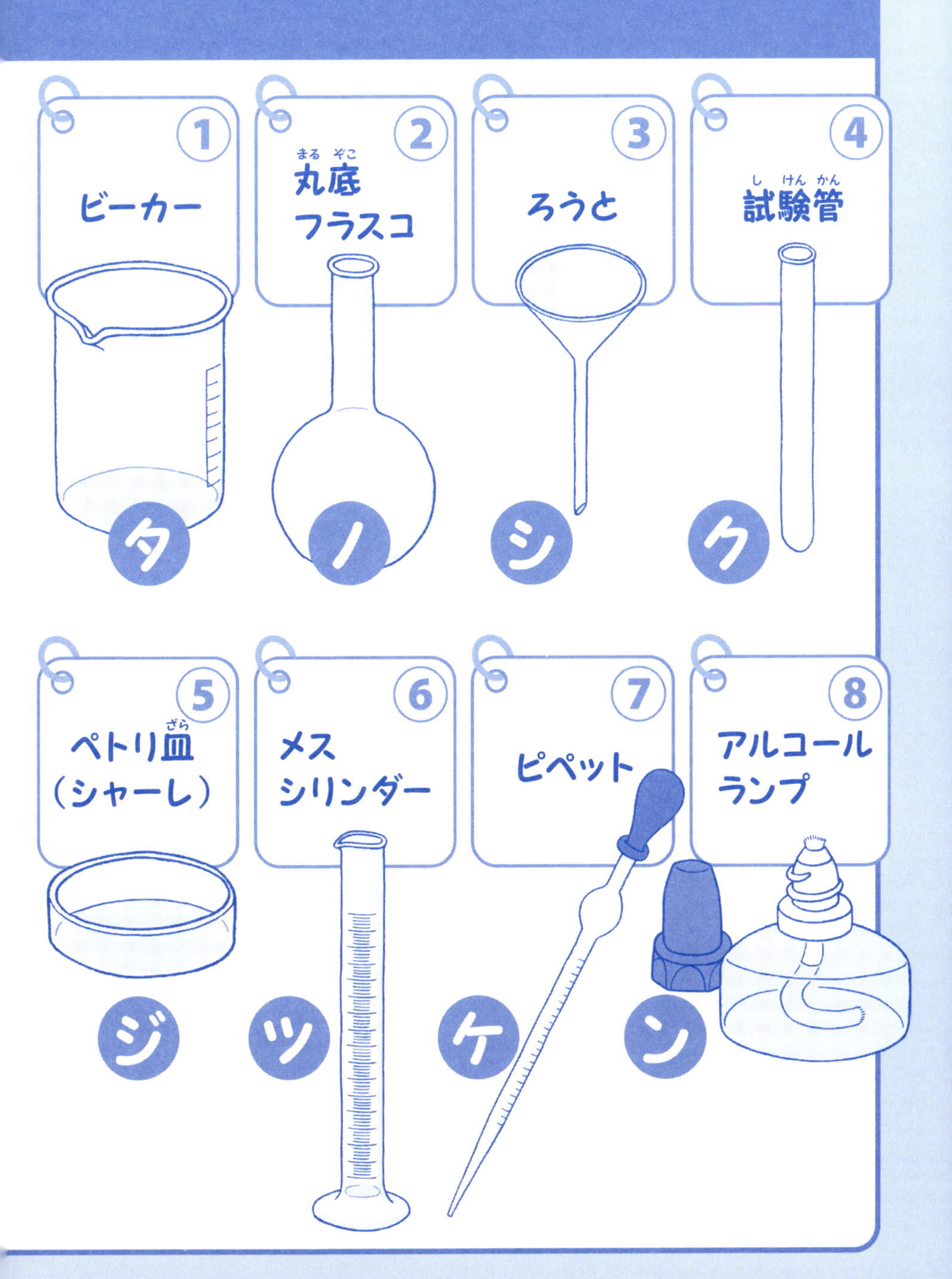

1
ビーカー
タ
2
丸底(まるぞこ)
フラスコ
ノ
3
ろうと
シ
4
試験管(しけんかん)
ク
5
ペトリ皿(ざら)
（シャーレ）
ジ
6
メス
シリンダー
ツ
7
ピペット
ケ
8
アルコール
ランプ
ン

日光でお湯がわかせる！

14ページで、鏡を使って光を集めることを、30ページでは、黒い色が光を吸収することを学んだね。この2つを利用して、お湯をわかしたり、フライパンを熱したりする装置が「ソーラークッカー」だ。鏡のように日光を反射する板を組み合わせて、その中心に黒いなべや、フライパンを置いて、調理するんだよ。

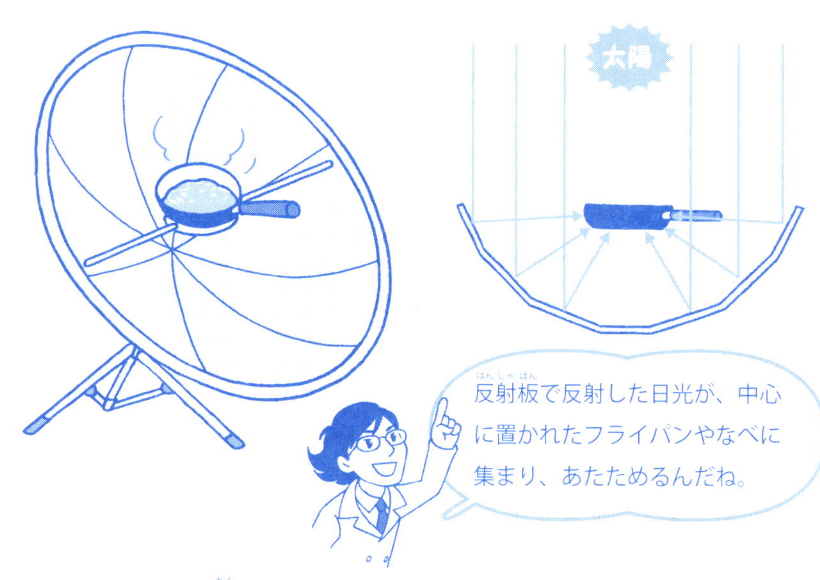

アルミホイルと段ボールで反射板をつくり、日なたに置こう。その中央に、黒い紙を巻いたペットボトルに水を入れて置けば、簡単ソーラークッカーのできあがりだ。お天気や季節、時間によって、水のあたたまり方に、どんなちがいがあるかな？

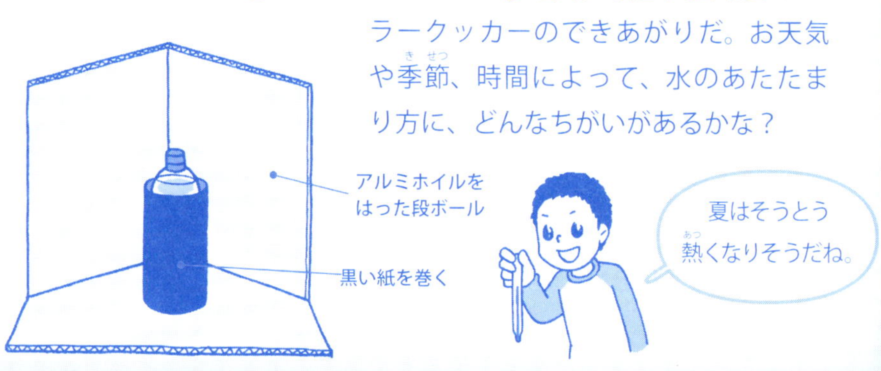

問題20 水が遠く(とお)まで飛ぶ(と)のは、どの穴(あな)？

ペットボトルに、下から3㎝おきに小さな穴をあけて、水がどのように出るか実験(じっけん)したよ。
㋐～㋓のうち、水が一番遠くまで飛ぶのは、どの穴かな？

穴から出た水どうしが重(かさ)ならないよう、ななめにずらして穴をあけたよ。

答え 20　正解は 

水が一番いきおいよく出るのは、一番下の穴(あな)だよ。上の穴になるほど、水のいきおいは弱(よわ)くなっていくんだ。これは、水面(すいめん)から下にいくほど、上にある水の重さが大きくなり、水が穴から強(つよ)くおし出されるからなんだよ。

ペットボトルのまわりには、上からも横からも、空気のおす力が加(くわ)わっているよ。ふたを閉(し)めると、上からおしていた空気の力が水面にかからなくなるんだ。すると、横からおす空気の力と、水が出ようとする力がつり合って、水が出なくなるんだよ。

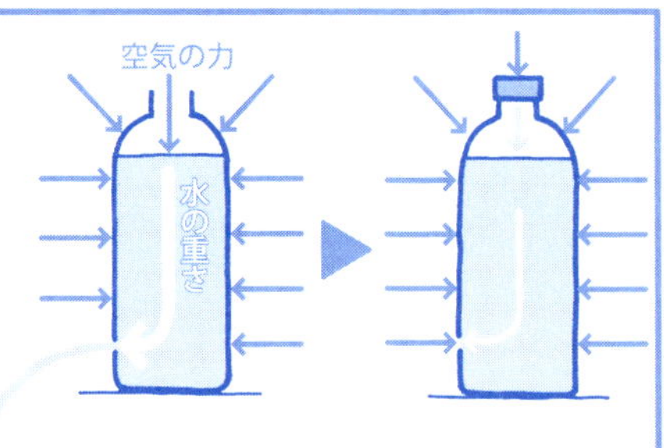

4

問題21 部屋の中が、あたたまる順番は？

部屋の中で、ストーブをつけたよ。
㋐〜㋒の場所は、どんな順番で
あたたまるかな？
ストーブは、風が出ない
タイプのものだよ。

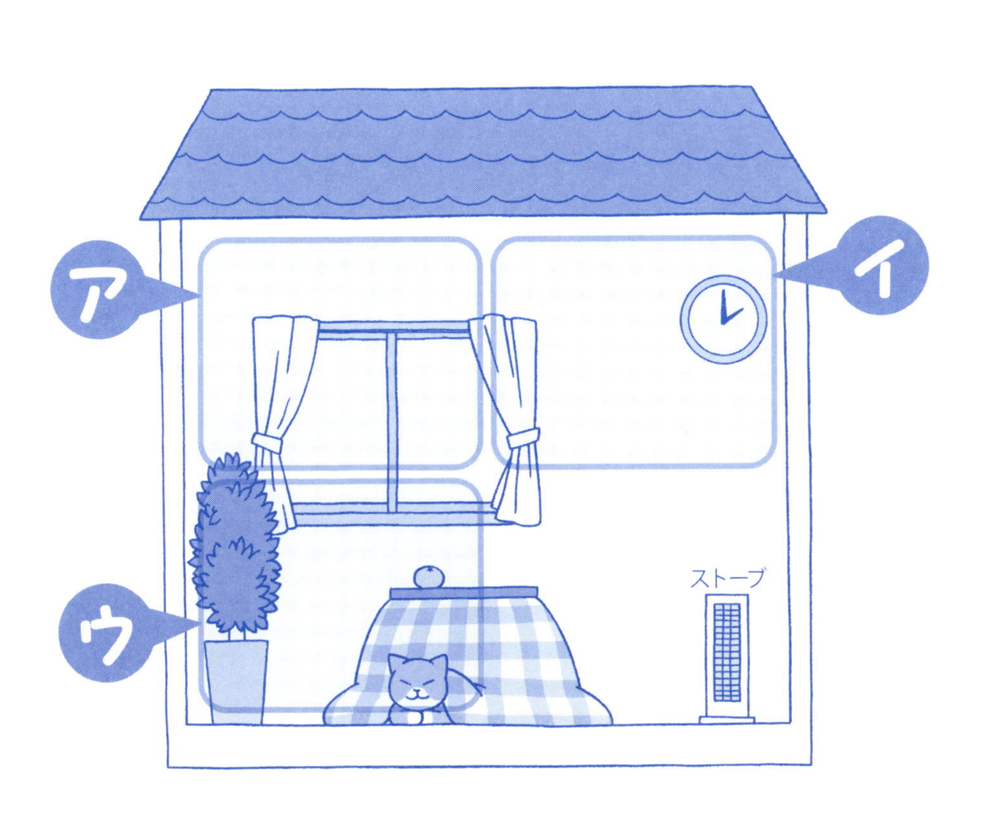

答え21　正解は イ ア ウ

空気はあたためられると、軽くなって、上へのぼっていくんだ。ストーブにあたためられた空気は、上へのぼっていき、天井近くにある冷たい空気は下へ移動するよ。こうやって空気が流れることによって、部屋全体があたたまっていくんだね。温度差で起こる流れによって熱が伝わることを、「対流」というよ。

冬の室内で、足もとがあたたまりにくいのは、あたたかい空気が上にのぼってしまうからなんだね。

あたためられた空気が、上へのぼっていく性質を利用したのが、熱気球だよ。気球の中の空気を、バーナーであたためて、空高く浮かび上がるんだ。地上へおりるときは、気球の上部にある「べん」を開き、あたたかい空気を外に出すんだよ。

バーナーの火力を調整することで、気球は上がったり、下がったりできるんだ。

問題22 水に砂糖を溶かすと、重さはどうなる？

水100gに、砂糖を10g溶かしたよ。
こうしてできた砂糖水は、何gかな？

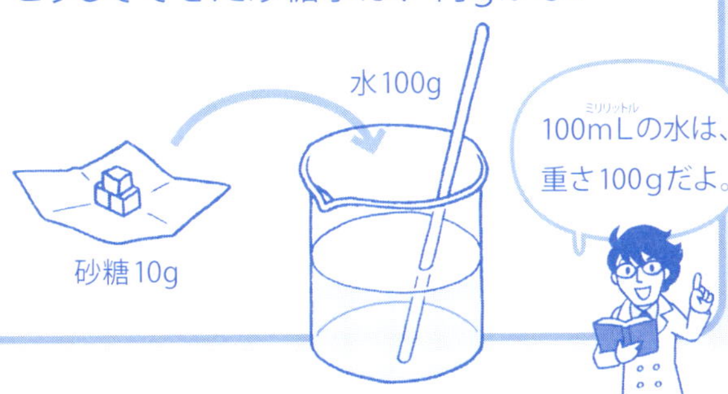

ア
砂糖は溶けてなくなるから、砂糖の重さは足されないよ。

100g

イ
砂糖は溶けるときに減るんじゃないかな？

105g

ウ
砂糖が溶けた分だけ重くなると思うよ。

110g

エ
砂糖水になって、性質が変わるはずだよ。

90g

答え22 正解はウ

100gの水に10gの砂糖を溶かすと110gの砂糖水ができるよ。砂糖は溶けて見えなくなっても、重さがなくなるわけではないんだね。水に溶けたものは、目に見えなくても、水溶液の中にちゃんとあるんだ。

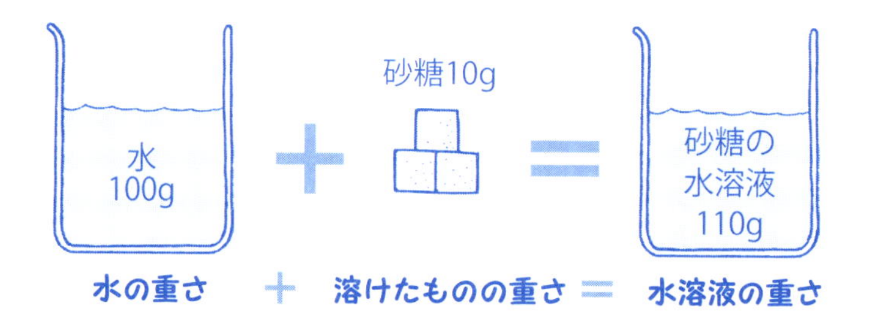

水の中で、入れたものが全体に広がり、すき通った液になることを、「ものが水に溶けた」というよ。砂糖水のように、ものが溶けたとう明な液のことを「水溶液」というよ。色がついていても、すき通っていれば、溶けているといえるんだ。逆に、一見溶けているようでも、液がにごっていたら、それは水溶液とはいえないんだね。

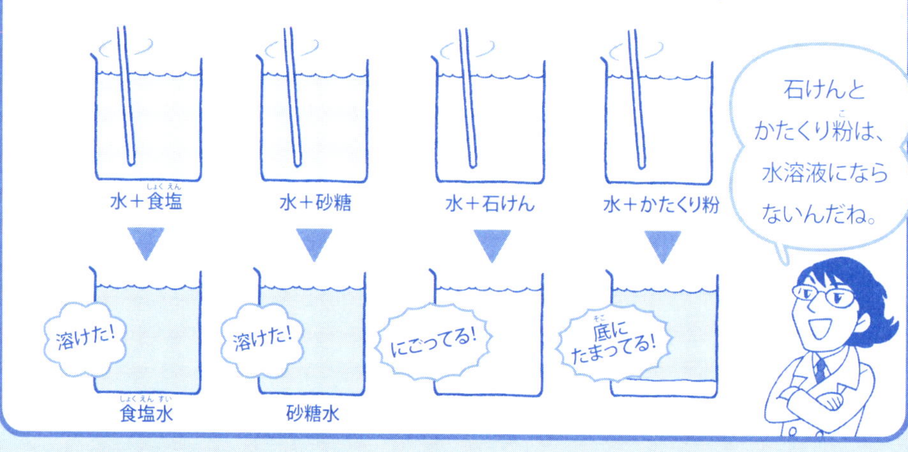

問題 23 水でつくったレンズをのぞくと…？

半球形(はんきゅうけい)のとう明(めい)な容器(ようき)に水を入れて、ものを見てみよう。どんなふうに見えるかな？

ア ものが大きく見えるよ。

イ ものが小さく見えるよ。

ウ ものがさかさに見えるよ。

エ ものが4つに見えるよ。

答え23　正解は ア

半球形のとう明な容器に水を入れると、「凸レンズ」になるんだ。凸レンズとは、真ん中がふくらんだ形をしたレンズのことで、ものが大きく見えるんだ。虫めがねにも使われているね。その反対に、真ん中がへこんでいるレンズのことは、「凹レンズ」というよ。こっちは、ものが小さく見えるよ。

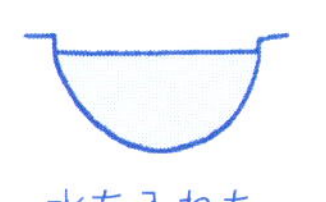

水を入れた
半球形の容器は
凸レンズの形だね。

また、凸レンズは光を内側に曲げて、集めるはたらきを、凹レンズは光を外側に曲げて、広げるはたらきをするんだ。

ものののさかい目で、光が曲がって進むことを「光のくっせつ」というんだ。

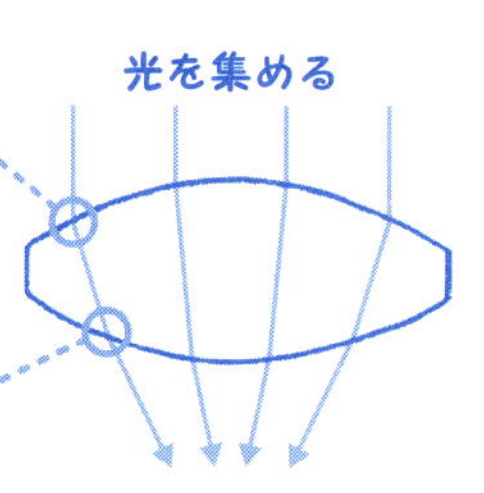

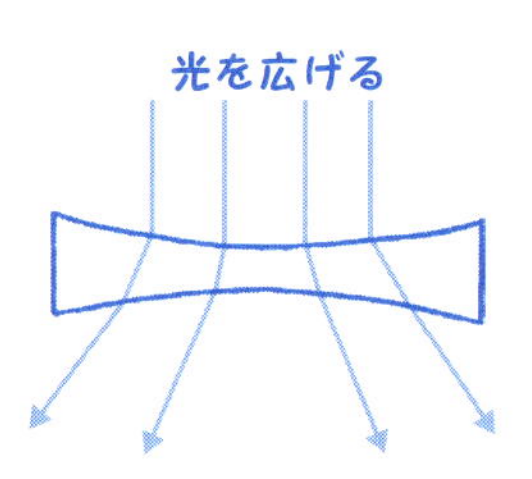

めがねにも、レンズが使われているんだよ。
凸レンズのめがね、凹レンズのめがね、両方あるよ。

問題24 モーターが速く回るのは、どれ？

かん電池と、モーターとプロペラを使って、
ミニせん風機をつくったよ。
次の㋐～㋓のうち、
プロペラをつけたモーターが、一番速く回るのはどれかな？

今回は、つなぎやすいように、かん電池ホルダーを使ったよ。

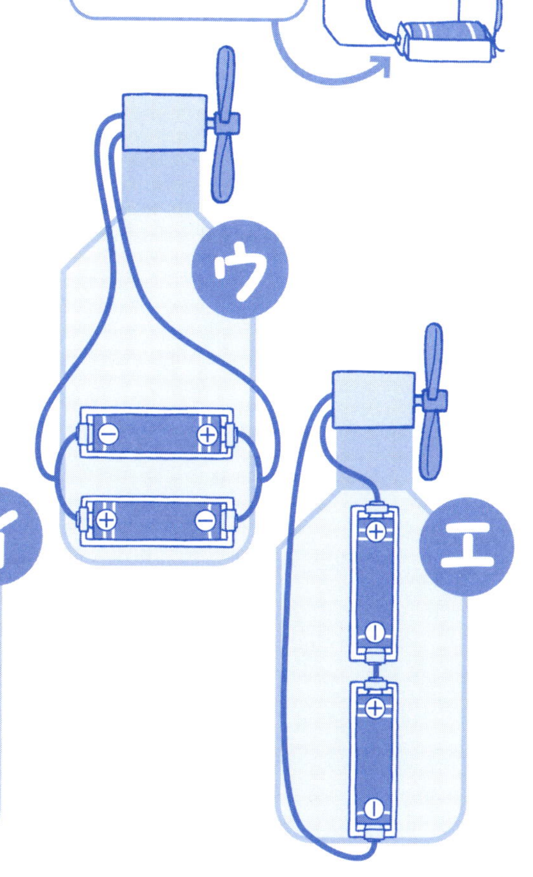

答え 24　正解は エ

かん電池の＋極を、別のかん電池の－極につなぐつなぎ方を「直列つなぎ」というよ。反対に、同じ極どうしでつなぐつなぎ方は、「並列つなぎ」というんだ。2個のかん電池を直列つなぎにすると、1個の場合にくらべて電流が大きくなり、プロペラをつけたモーターの回る速さは、より速くなるんだ。ところが、並列つなぎだと、電流は1個の場合と変わらないんだよ。

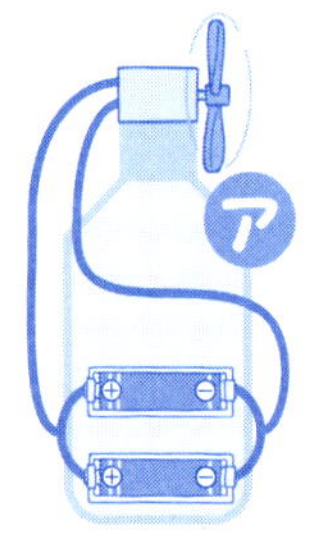

並列つなぎ

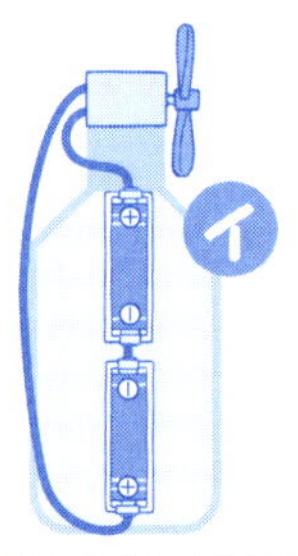

プロペラは回らない。

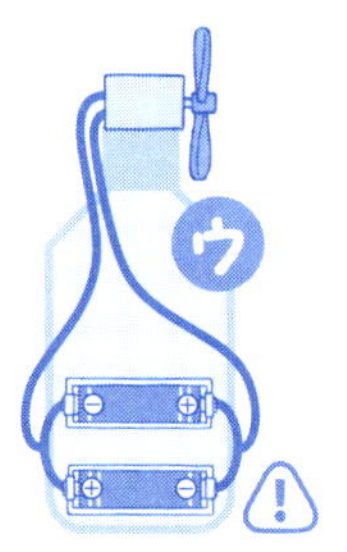

プロペラは回らない。
かん電池が熱くなって
危険！やってはダメ！

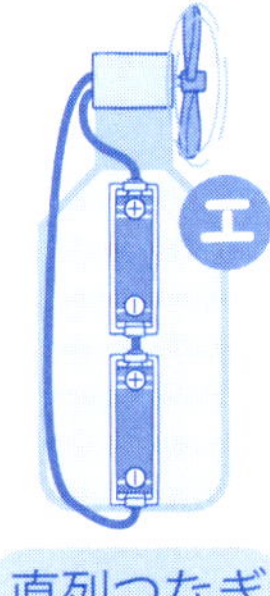

直列つなぎ

回路に流れる電流が、かん電池1個のときと変わらず、モーターの回る速さも変わらない。

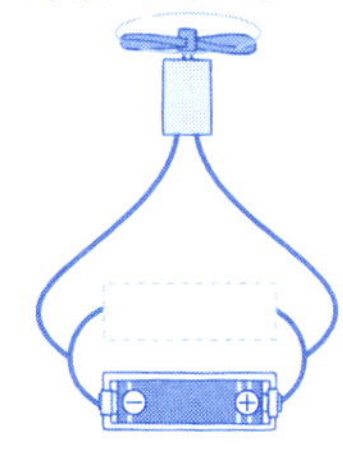

かん電池を1個はずしても、回路は切れないから、電流は流れ続けるよ。

これも並列つなぎ

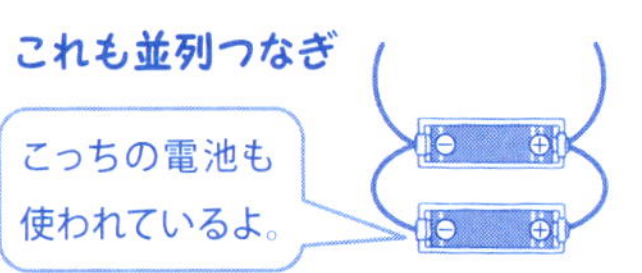

回路に流れる電流が、かん電池1個のときより大きくなり、モーターを速く回すことができる。

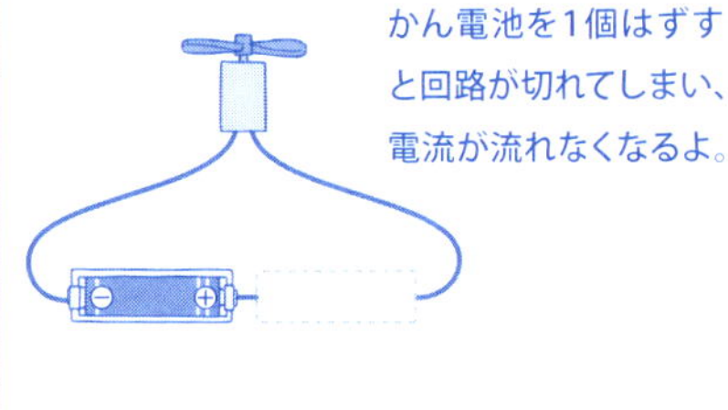

かん電池を1個はずすと回路が切れてしまい、電流が流れなくなるよ。

これも直列つなぎ

問題 25 もっとミョウバンを溶かすには、どうする？

つけものの色が落ちるのを防いだりするのに使うミョウバン。
このミョウバンを、100mLの水に少しずつ入れて、溶かしていったよ。しばらくすると、溶け残りが出て、それ以上は溶けなくなってしまった。もっと溶かすには、どうしたらいいかな？

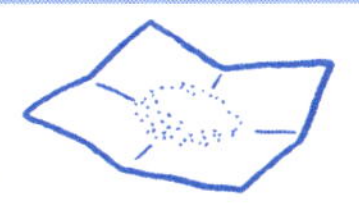

ア 氷水につけて、冷やしたらどうかな。

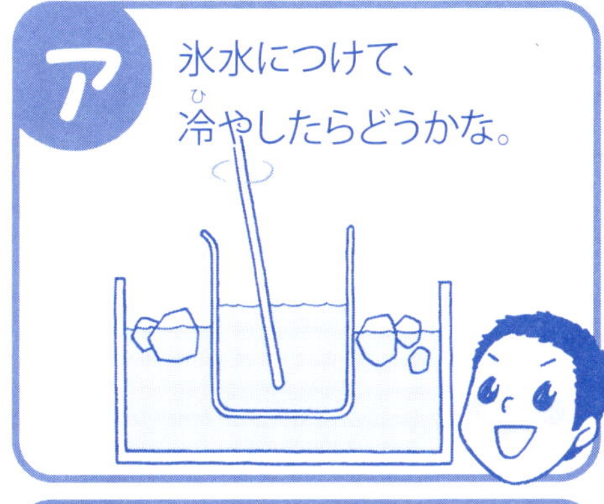

イ お湯につけて、あたためればいいよ。

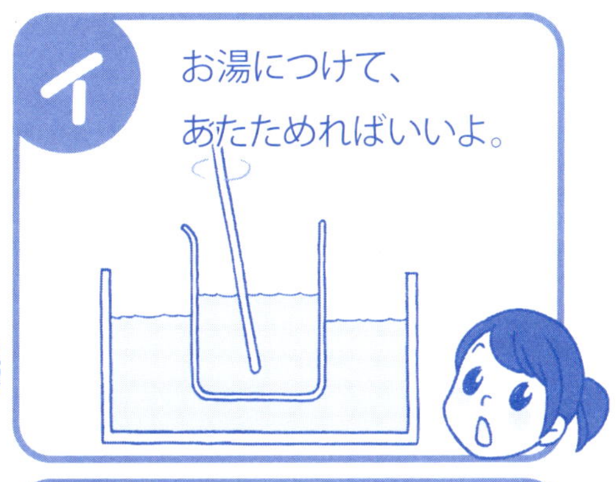

ウ ふた付きの容器に入れて、よーくふるんだよ。

エ 一晩、静かに置いておくんだと思う。

答え 25　正解は イ

ミョウバンは、水の温度が高くなると、溶ける量が増えるんだ。砂糖も同じように、水の温度が高くなると、溶ける量も増えるよ。食塩も水の温度により、溶ける量が変わるけれど、その差はごくわずかなんだ。

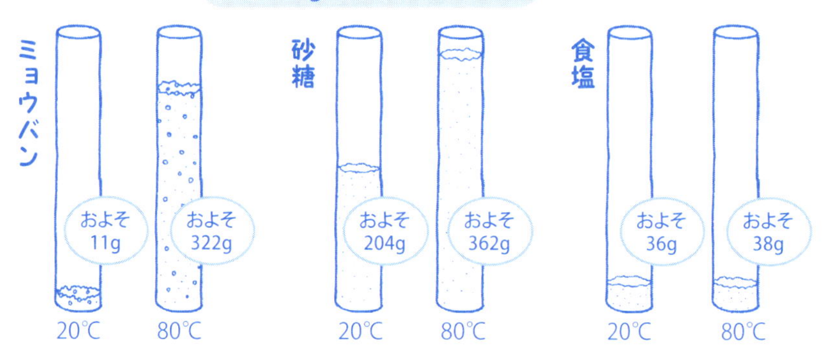

水の温度を上げて溶かしたミョウバンは、水が冷えて温度が低くなるにつれて、再びつぶになって、あらわれるんだ。

メモ

粉状のミョウバンを利用して、ミョウバンの結晶のかざりがつくれるよ。熱湯を使うから、大人といっしょにやろうね。

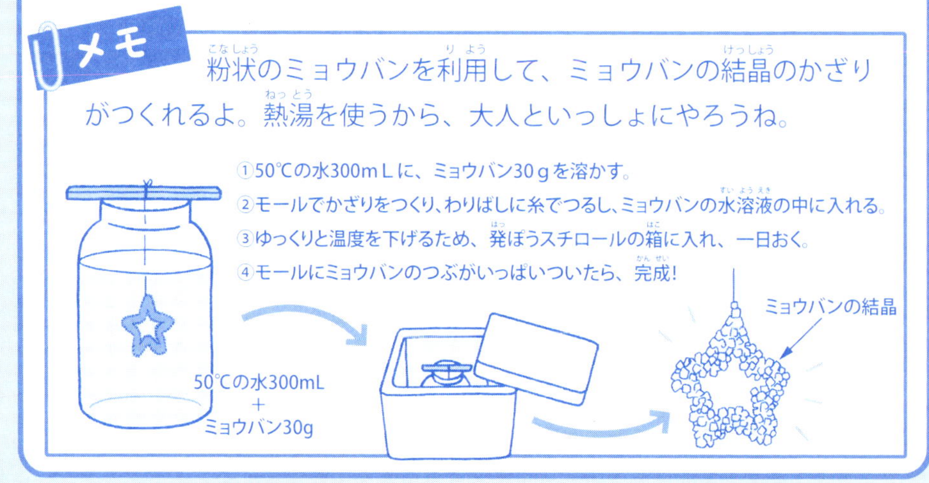

問題26 赤・緑・青の光が混ざると、なに色になる？

赤・緑・青のセロハンをそれぞれにはった、かい中電灯で、白い壁を照らしたよ。
３つの色の光が合わさると、なに色の光になるかな？

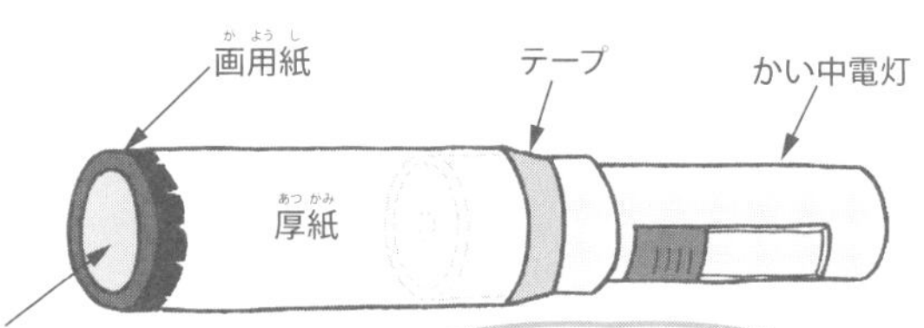

赤・緑・青のセロハンを使って、３本用意したよ。

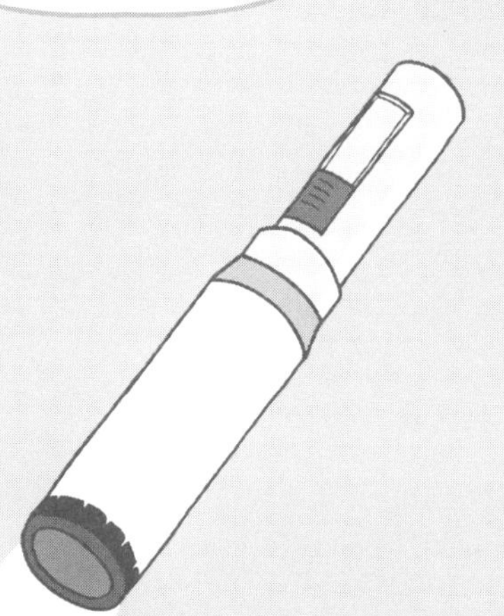

ア 灰色

イ ピンク

ウ むらさき

エ 白

答え 26 正解は エ

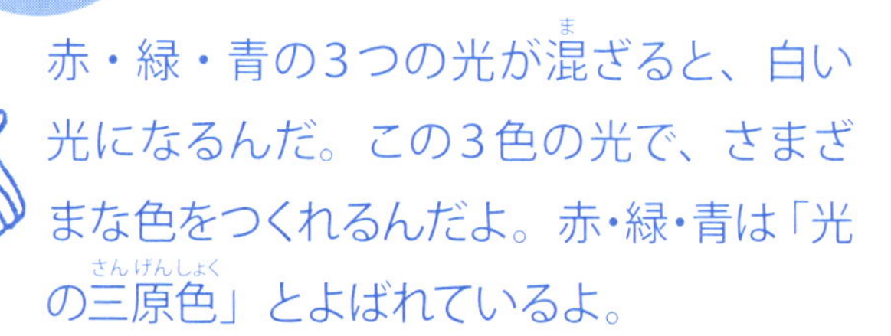

赤・緑・青の3つの光が混ざると、白い光になるんだ。この3色の光で、さまざまな色をつくれるんだよ。赤・緑・青は「光の三原色」とよばれているよ。

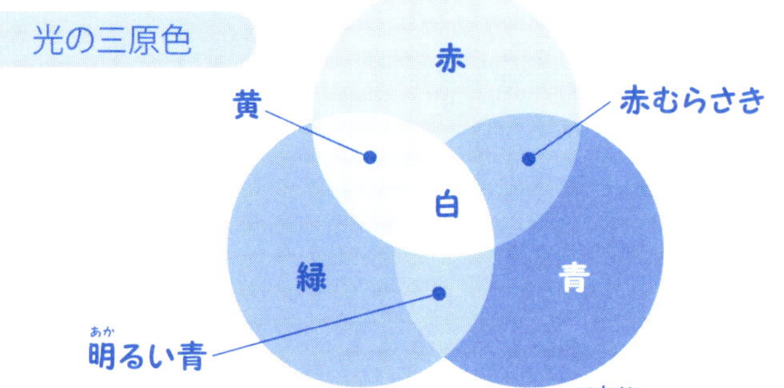

テレビやパソコンの画面の白く見える部分を拡大して見ると、赤・緑・青の四角い光がタイルのようにならんでいるのがわかるよ。画面にうつし出される全ての色は、赤・緑・青の光の組み合わせでつくられているんだね。

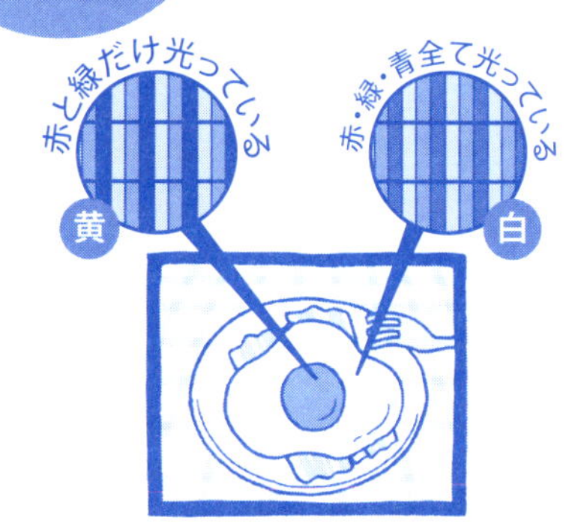

メモ

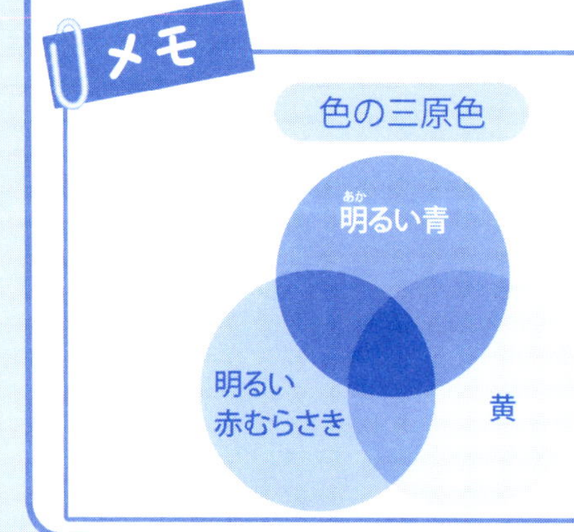

本やポスターなどの印刷したものには、「色の三原色」を活用したものが多くあるよ。

色の三原色は、明るい青・明るい赤むらさき・黄だ。この3色のインクの組み合わせで、さまざまな色を表現できるんだ。印刷では、暗さを調節するため、これに黒のインクが加わるよ。

問題27 一番溶けにくい氷は、どれ？

同じ大きさの氷を、キッチンペーパー、ラップ、アルミホイル、気ほうシートでそれぞれ包んで、どれが一番溶けにくいか、実験したよ。最後まで溶け残ったのは、どれかな？

気ほうシートとは、こわれやすい荷物などを包むのに使うシートのことだよ。「エアークッション」など、さまざまな名前でよばれているよ。

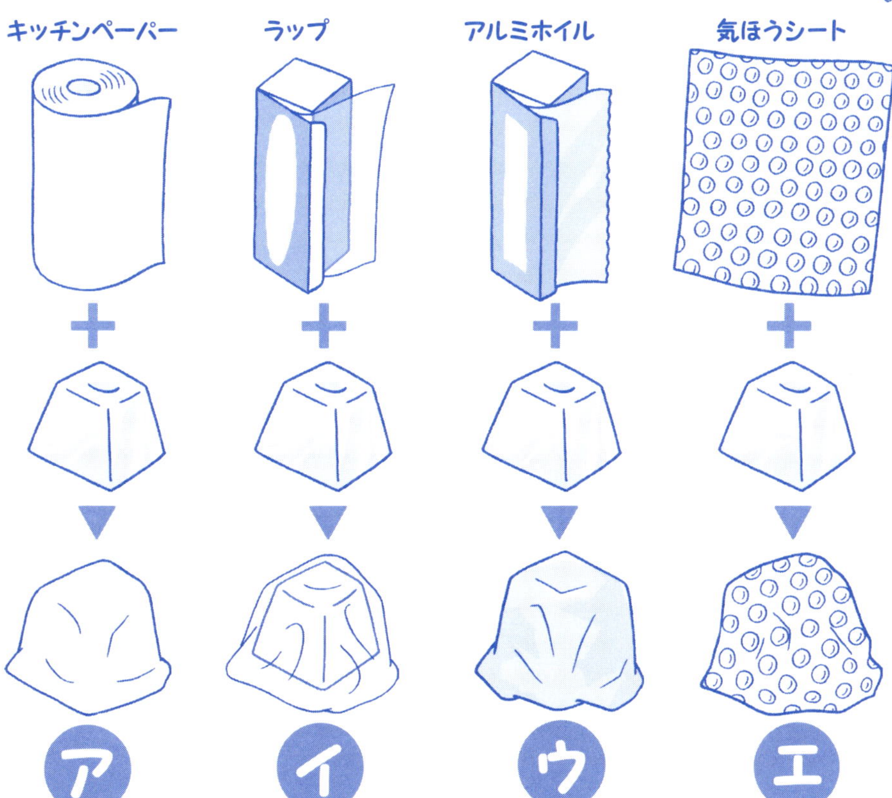

答え27　正解は 

気ほうシートは、空気がいっぱい入っているよ。空気があると、外のあたたかさが伝わりにくくなり、氷の冷たさも外に出にくくなるよ。だから長い時間、氷は溶けずに残っているんだね。

外部との熱のやりとりをなくすことを「断熱」というよ。空気を断熱に役立てているものは、わたしたちの身のまわりにも、いろいろあるんだ。

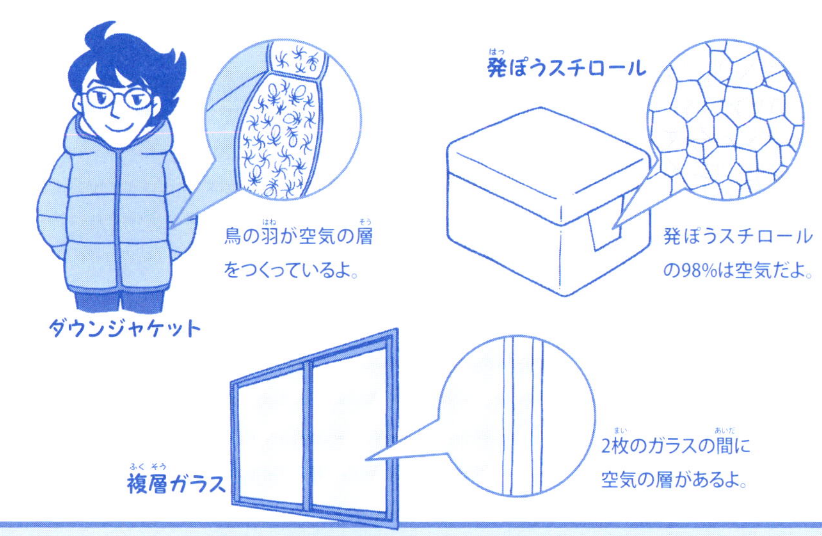

問題28 ものが燃えるとき、必要な気体はなに？

ものが燃え続けるには、新しい空気が必要なことは32ページで学んだね。
空気は、「ちっ素」「酸素」「二酸化炭素」などの気体が混じり合ってできているよ。この中で、ものが燃えるときに必要な気体は、どれかな？
びんの中をそれぞれの気体で満たして、火がついた木を入れてみよう。
木が燃え続けるのは、どれかな？

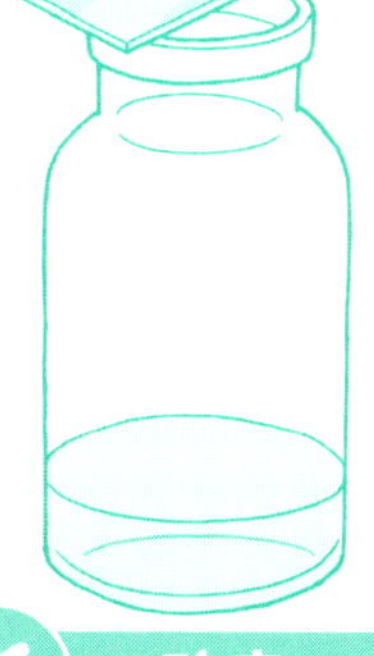

ア ちっ素　イ 酸素　ウ 二酸化炭素

答え28 正解は 

火がついた木を、酸素で満たされたびんに入れると、はげしく燃え出したよ。このことから、酸素には、ものを燃やすはたらきがあることがわかるね。

ものが燃えるとき、空気中の酸素が使われて、二酸化炭素ができるんだよ。ちっ素の量は変わらないんだ。

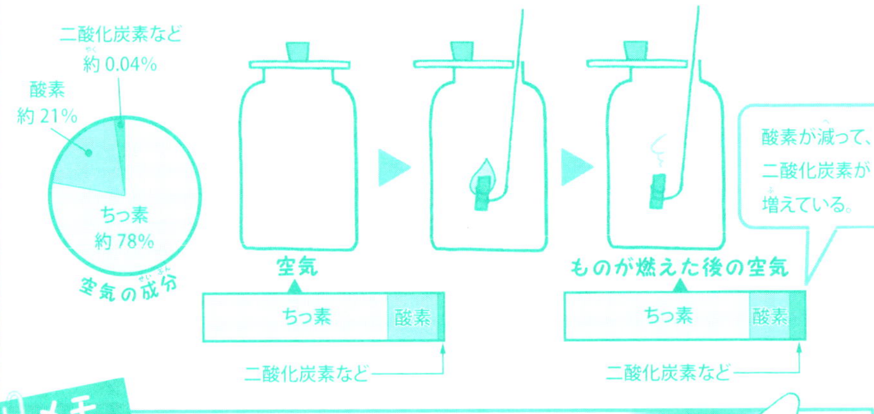

メモ

ものは酸素がないと、燃えることができない。けれども、ロケットの燃料は、酸素がない宇宙でも燃えることができるよ。ロケットの燃料には、あたためると酸素を出す物質が混ぜてあるんだ。

問題 29 ろうそくのほのおで、一番熱いのはどこ？

ろうそくのほのおは、場所によって温度がちがうんだよ。
次の㋐～㋒のうち、一番温度が高いのは、どこかな？

火を使う実験は、子どもだけでやってはダメ!! かならず、大人といっしょにやろう。

答え 29　正解は ア

ろうそくのほのおは、しんに近い部分を「炎心」、一番外側を「外炎」、その間の部分を「内炎」というんだよ。

ろうそくは、熱で溶けたろうが気体になり、その気体に火がつくと燃えるんだ。ほのおの外側ほど空気にふれるから、よく燃えて高温になるんだよ。

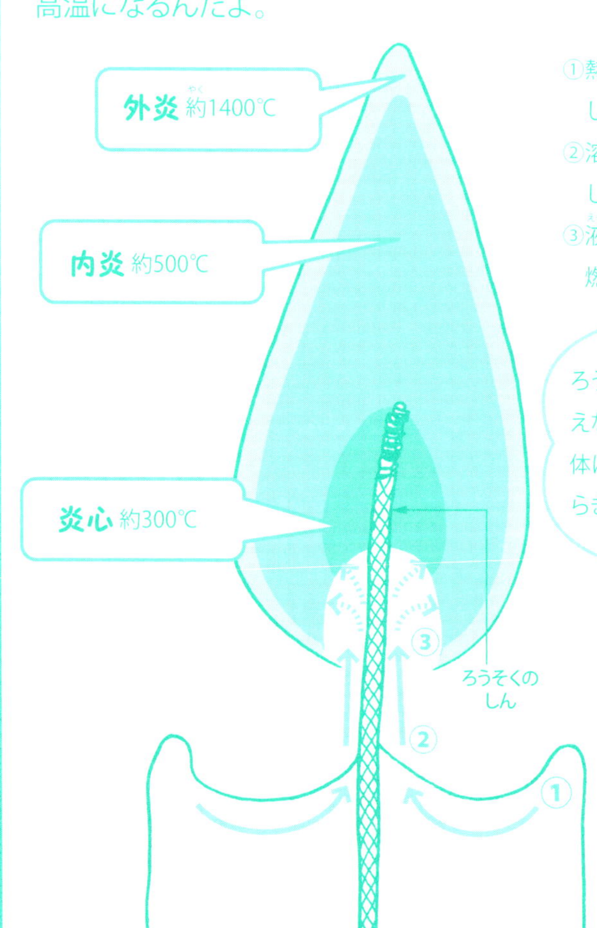

①熱でろうが溶けて、しんに吸いよせられる。
②溶けたろうが、しんをのぼっていく。
③液体のろうが、気体になり、燃える。

ろうだけに火を近づけても燃えないよ。しんは、ろうが気体になるのを、たすけるはたらきをしているんだ。

問題30 コップの水は、どうなる？

コップを３つならべて、両はじのコップに水を入れる。それぞれのコップをつなぐように、折ったティッシュを入れて、数日間、置いておいたよ。コップの中の水には、どのような変化があるかな？

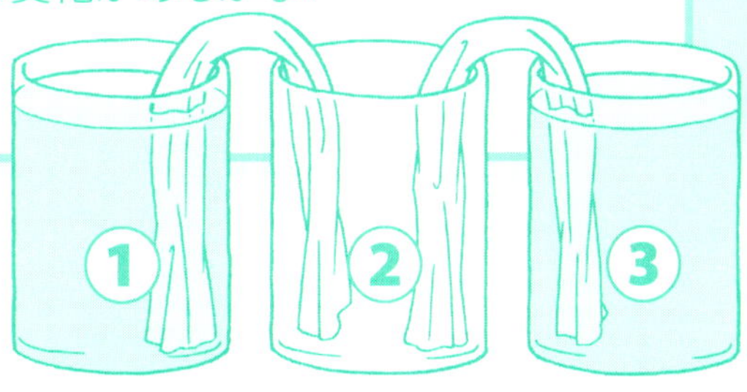

ア 全て②に集まって、①③は空になる。

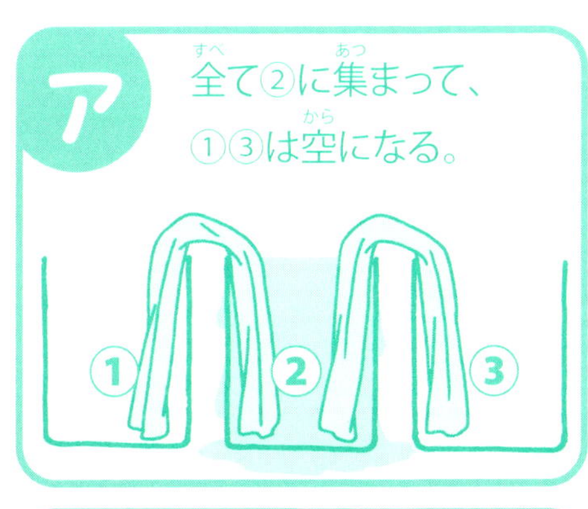

イ ①と②に集まって、③は空になる。

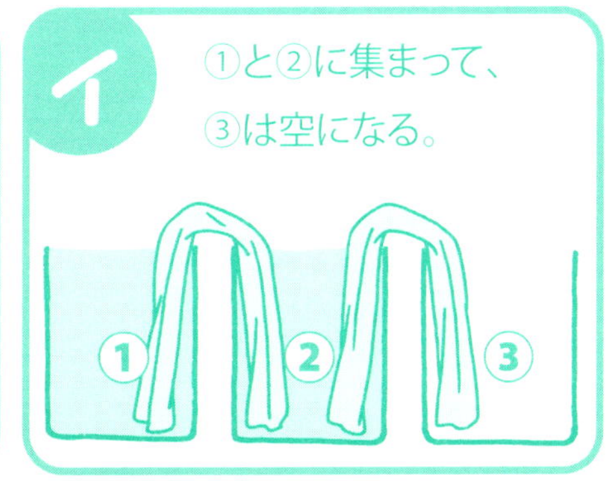

ウ 水はティッシュをぬらすだけで、移動しない。

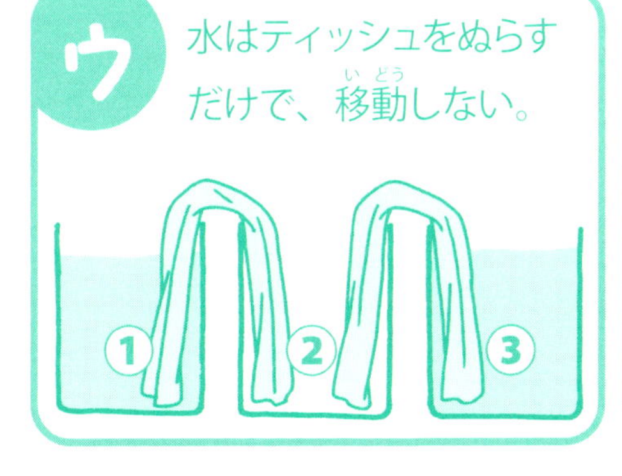

エ ①②③同じ高さになって止まる。

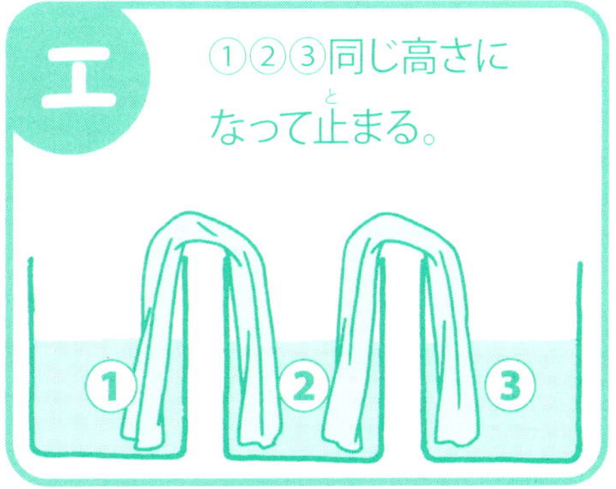

答え30

正解は 

①と③のコップに入っていた水はティッシュペーパーに吸い上げられて、真ん中の②のコップに移動していくよ。

水には、せまいすき間を上がっていく性質があるんだ。これを「毛細管現象」というよ。水は、ティッシュペーパーの、せんいとせんいの間の、せまいすき間を上がっていったんだね。まわりの空気が、それぞれのコップの水をおしているので、３つのコップの水は、同じ高さになるんだ。

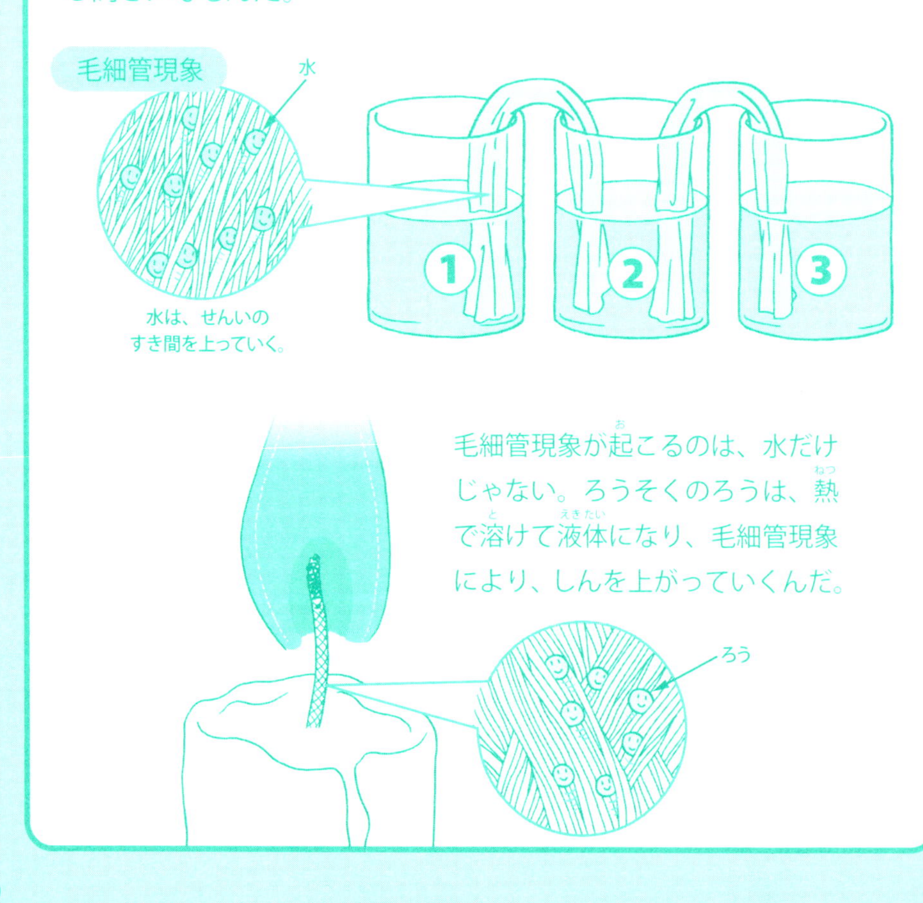

毛細管現象が起こるのは、水だけじゃない。ろうそくのろうは、熱で溶けて液体になり、毛細管現象により、しんを上がっていくんだ。

問題31 二酸化炭素と水を混ぜると、どうなる？

ペットボトルに半分ほど水を入れ、二酸化炭素をふきこんでから、ふたをするよ。そのペットボトルをよーくふると、どうなるかな？

ア 水が牛乳みたいに白くなるよ。

イ 水が熱くなるよ。

ウ ペットボトルが溶けるよ。

エ ペットボトルがへこむよ。

答え31　正解は エ

中を満たしていた二酸化炭素が、水に溶けてしまったため、ペットボトルはへこんだよ。このように、二酸化炭素のような気体も、水に溶けるんだね。

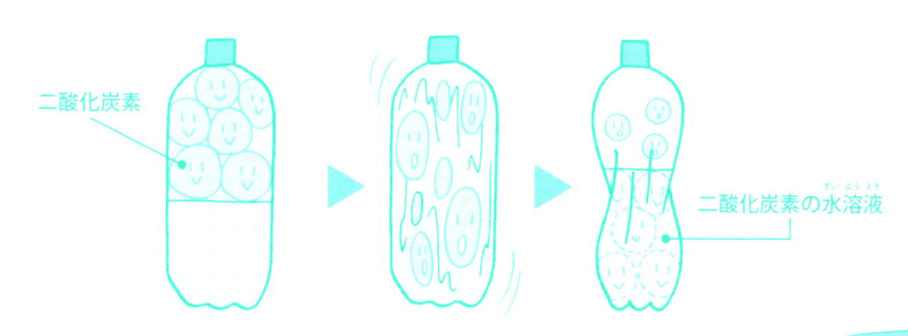

二酸化炭素以外の気体も、水に溶けるよ。魚など、水の中でくらす生き物は、えらを使って水に溶けている酸素を体に取りこんで、呼吸しているんだ。

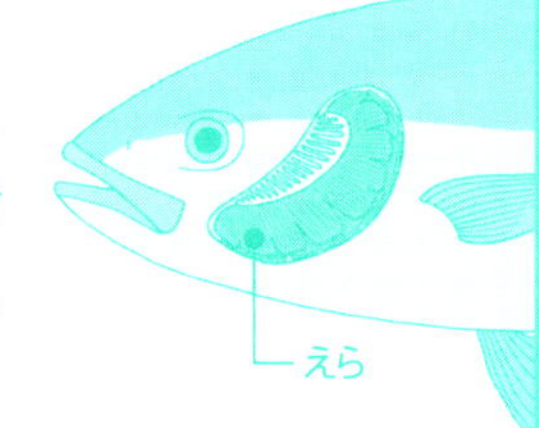

メモ

身のまわりの二酸化炭素

生き物は、酸素を体の中に取りこみ、二酸化炭素を出しているね。はく息の中には、二酸化炭素が多くふくまれているよ。

サイダーやコーラなどの炭酸飲料には、二酸化炭素が溶けこんでいるよ。シュワッとしたあわは、二酸化炭素なんだね。

お菓子づくりなどに使うじゅうそうは、熱すると二酸化炭素を出して、お菓子をふくらませるよ。

発ぽう性入浴ざいは、お風呂に入れると二酸化炭素のあわを出すよ。

問題32 長い時間走るモーターカーは、どれ？

かん電池(でんち)で動くモーターカーをつくったよ。
次の㋐〜㋓のかん電池のつなげ方のうち、
モーターカーが一番
長い時間走っている
ことができるのは、
どれかな？

答え 32　正解は エ

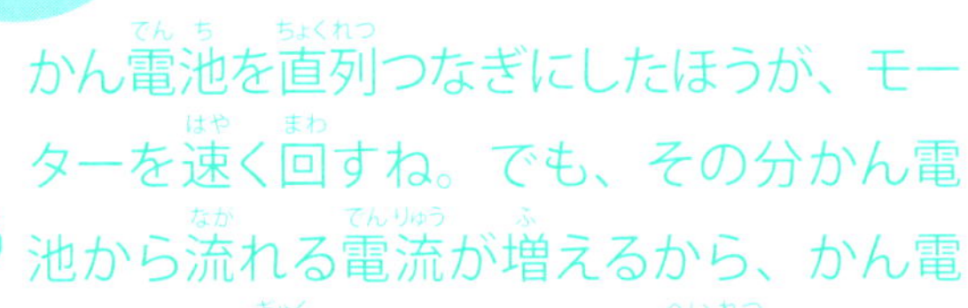

かん電池を直列つなぎにしたほうが、モーターを速く回すね。でも、その分かん電池から流れる電流が増えるから、かん電池を使える時間も短くなるんだ。逆に、かん電池を並列つなぎにして増やすと、その分、使える時間も長くなるよ。

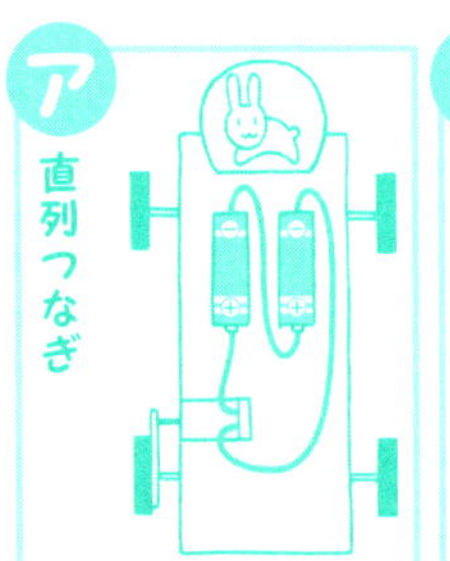

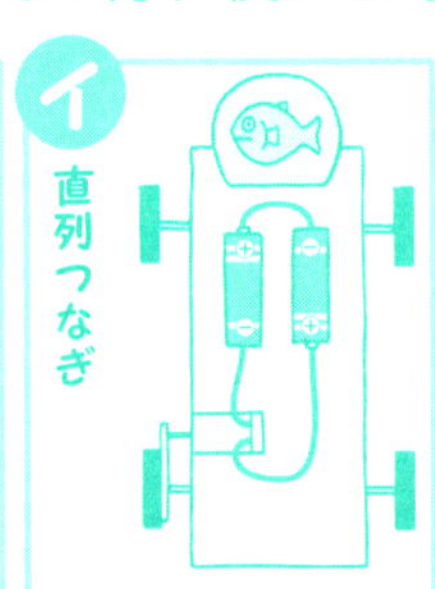

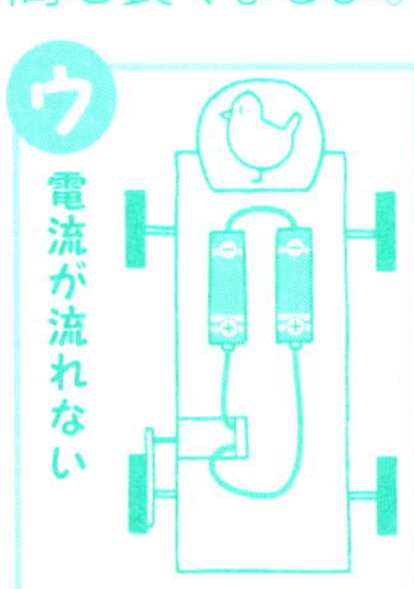

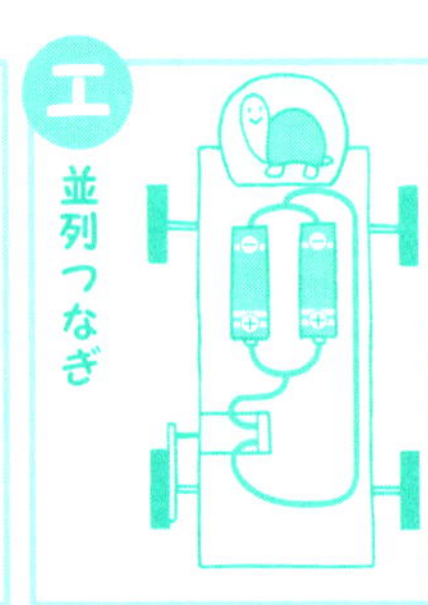

スタート！

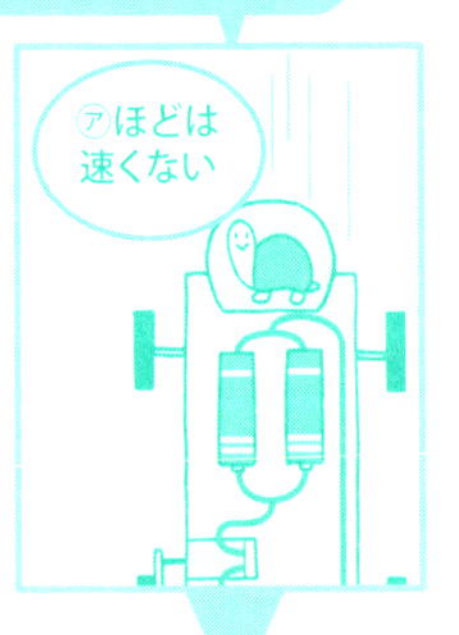

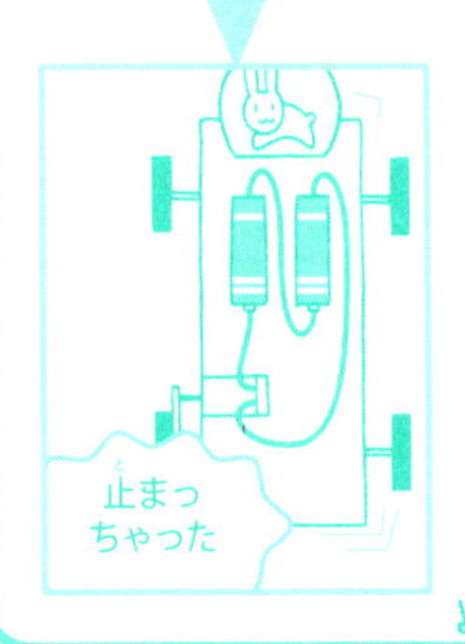

イのかん電池の向きを、よく見てみよう。+極と−極のつながり方が、アと逆になっているね。電流はかならず+極から−極へと流れるから、この場合、モーターは逆に回転しちゃうんだよ。

問題33 ぶらんこがゆれるテンポを変えるには？

フユキ君が、ぶらんこで遊んでいるよ。行ったり来たりを一定のテンポでくり返している。このぶらんこがゆれるテンポを変えるには、どうしたらいいかな？
次の㋐～㋒から、1つ選ぼう。

答え 33　正解は イ

ぶらんこのように、糸などにおもりをつるして、行ったり来たりふれるようにしたものを「ふりこ」というよ。ふりこの場合、いくらおもりの重さや、ふれはばを変えても、1往復する時間は変わらないよ。ところが、ふりこの長さを短くすると、1往復する時間は短くなり、長くすると時間は長くなるんだ。

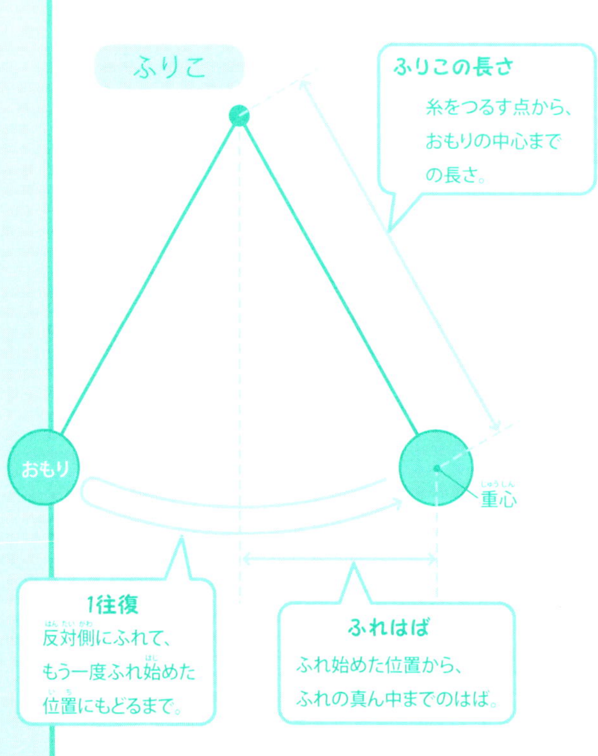

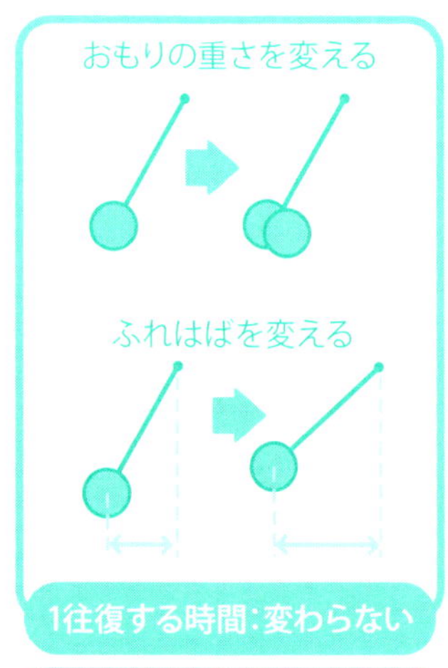

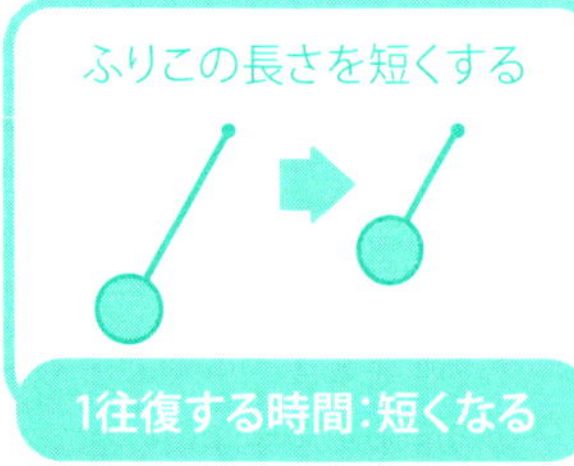

ものの重さの中心となる点を「重心」というよ。上の図の、まるいおもりの中心は、おもりの「重心」でもあるんだ。人間の重心は、ちょうどおへその上あたりだよ。

問題34 強い電磁石をつくるには…？

「エナメル線」という電気を通す線を、ストローに巻いてコイルをつくる。そのコイルに、鉄くぎを入れ、エナメル線のはじをかん電池につなぐと、「電磁石」のできあがりだ。
この電磁石の磁力を、より強くするためには、どうしたらいいかな？
次の㋐〜㋓の中から、2つ選ぼう。

エナメル線の両はじは、紙やすりでこすって、エナメルをはがしておく。

電磁石

電気を通すと磁石になるよ！

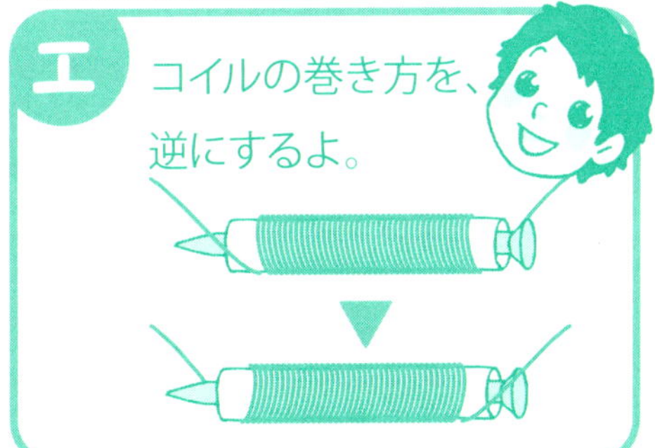

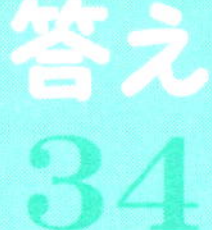

正解は イ ウ

電磁石がものを引きつける磁力の強さは、電流の大きさと、コイルの巻き数によって、変わってくるんだよ。

電磁石の磁力を強くするには…

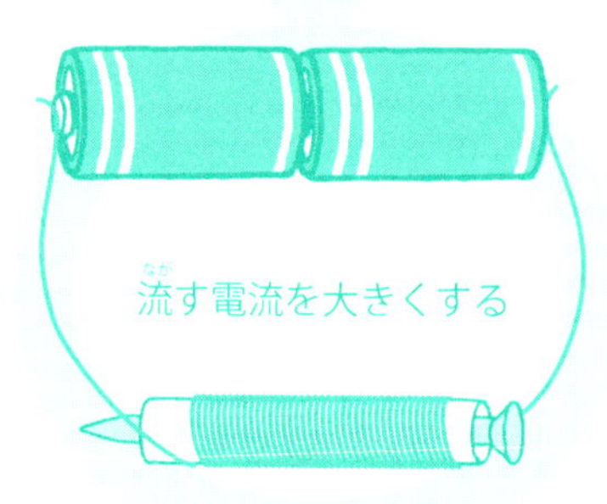

鉄くぎを入れずに、コイルだけでも、電磁石になるよ。けれども、その力はとっても弱いんだ。

問題35 あたためられた水は、どう動く？

水(すい)そうの中に、プラスチックのビーズをいっぱい入れて、水の動きを観察(かんさつ)できるようにしたよ。水そうの中に、ヒーターを入れて水をあたためると、どんな動きをするかな？

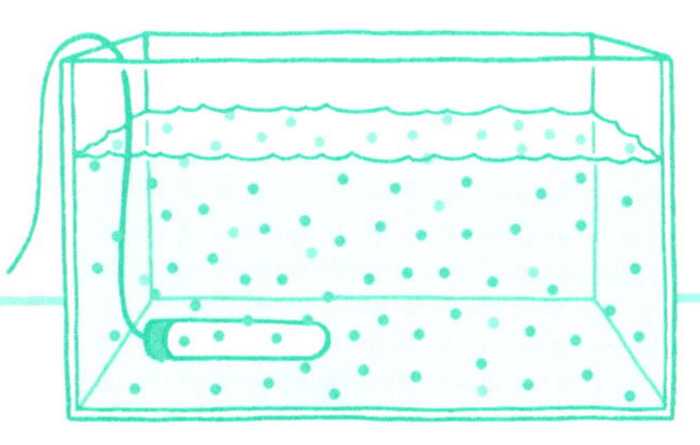

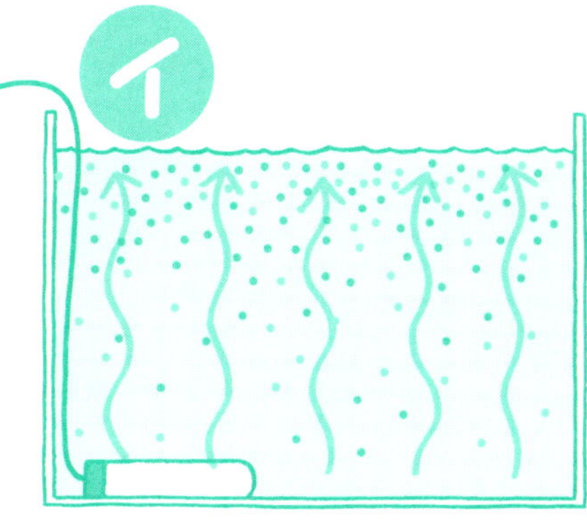

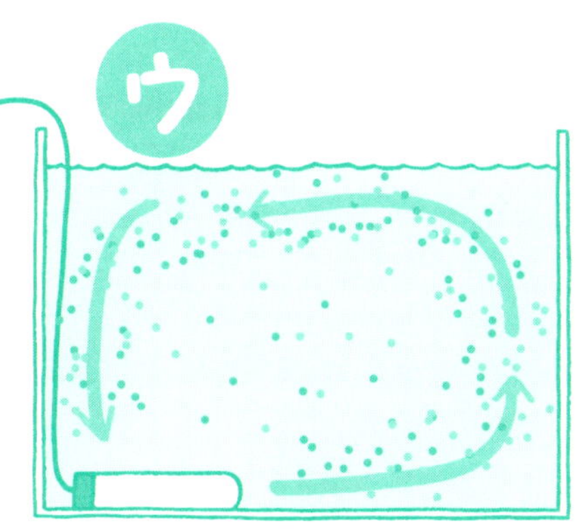

答え35 正解は エ

水はあたためられると軽くなり、上へのぼっていくよ。ヒーターであたためられた水は上へのぼっていき、水面近くにある冷たい水は下に移動するんだ。この水の流れ、なにかに似ているね…。そう、52ページで学んだ、あたためられた空気が流れるようすと、よく似ているんだ。水も、空気と同じように対流するんだね。

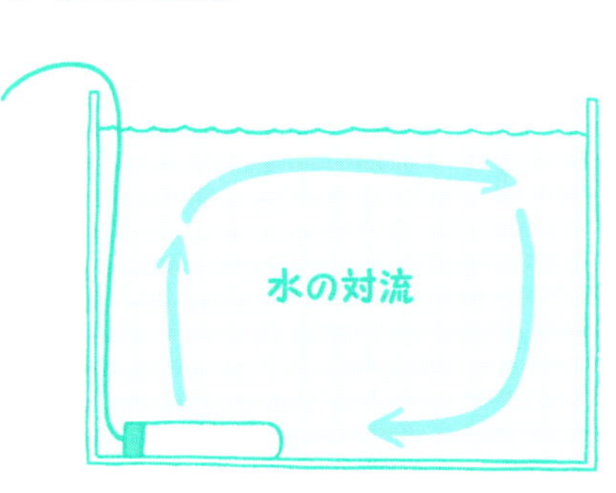

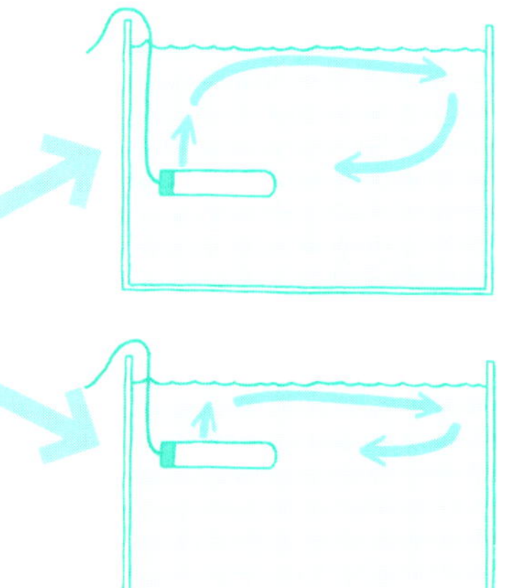

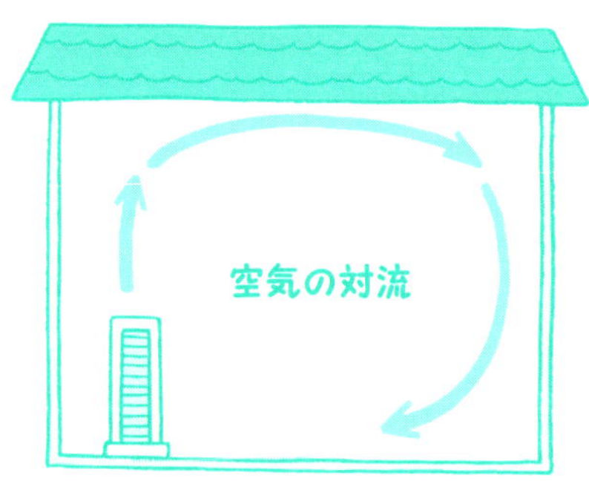

ヒーターを水そうの真ん中や、水面近くに置いてあたためた場合、水はヒーターより上の方から対流するんだ。ヒーターより下の水は、なかなかあたたまらないよ。

水が、あたためられると軽くなることがよくわかる実験は、89ページでやってるよ。見てみよう！

問題 36 ムラサキキャベツの色水の、色が変わるのは…？

ムラサキキャベツをきざんでゆでて、むらさき色の色水をつくったよ。この色水に、いろいろな液体を少しずつ混ぜる実験だ。次の㋐～㋔のうち、色水の色が変わったのは、どれかな？ いくつかあるよ。全て選ぼう。

火や刃ものを使うときは、かならず大人といっしょにやろう。

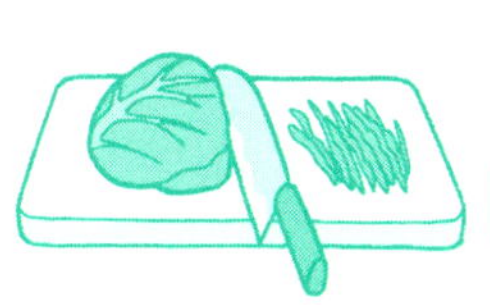

ア レモンの汁

イ 砂糖水

ウ こんにゃくの汁

エ せっけん水

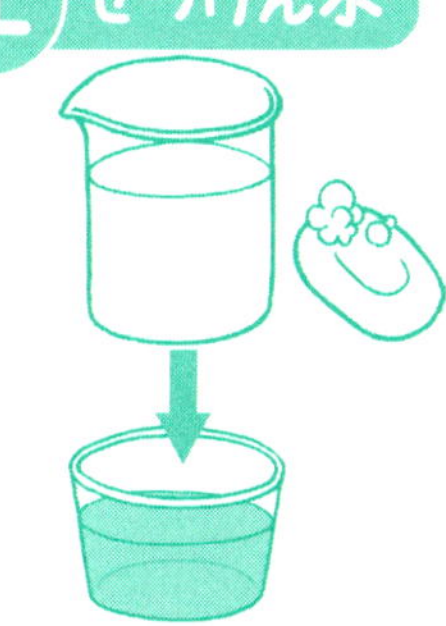

オ お酢

答え 36 正解はアウエオ

水溶液や身のまわりの液体は「酸性」「中性」「アルカリ性」の3つの性質に分けられるよ。ムラサキキャベツのむらさき色は、アントシアニンという色素の色なんだ。この色素は、酸性だとピンクや赤っぽく、アルカリ性だと青や緑っぽく色が変化するんだ。

酸性

レモンの汁

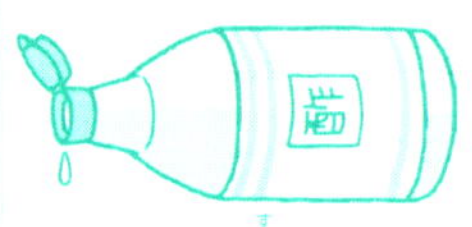

お酢

リンゴの汁

ピンク～赤

中性

砂糖水

食塩水

水道水

むらさき色のまま

アルカリ性

こんにゃくの汁

じゅうそう水

せっけん水

青～緑

問題37 にじをつくるには、どっちを向けばいい？

晴れた日に、外できりふきを使ってにじをつくる実験をしてみよう。
太陽に対して、どの方向を向けば、にじを一番はっきりと見ることができるかな？
㋐〜㋓から、1つ選ぼう。

にじが見えやすいように、色の濃い建物などに向けて、ふきかけよう。

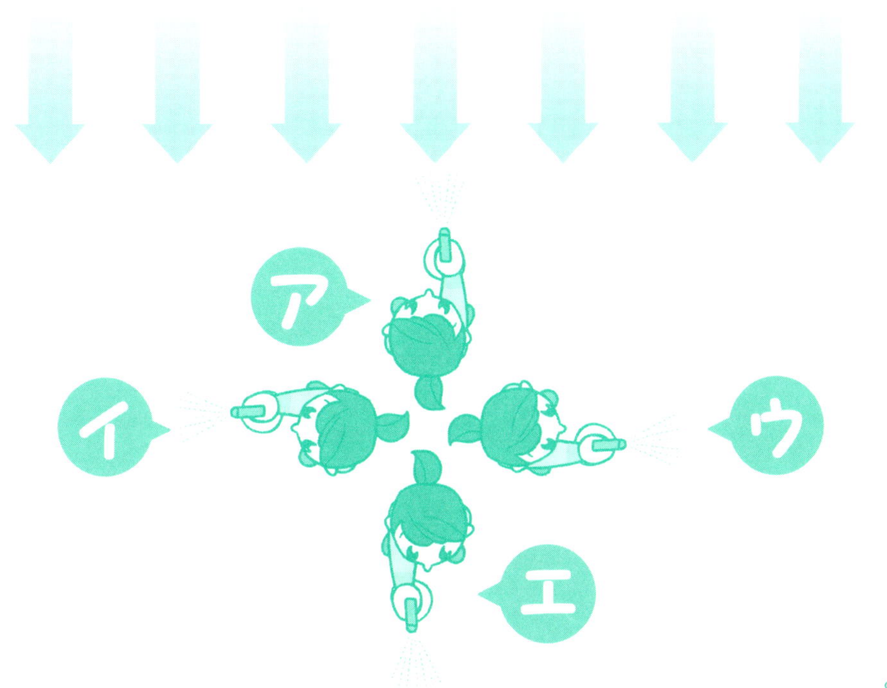

答え37 正解は エ

空ににじを見つけたとき、太陽の位置を確かめてみよう。かならず、太陽と反対側に、にじがあるはずだよ。

にじは、太陽の光が、小さな水のつぶに反射したものなんだ。太陽の光は、いくつもの色の光が合わさってできていて、水のつぶの中を通るときにくっせつして、その色ごとに分かれるんだ。これが、にじの色となって見えているんだね。きりふきでにじをつくるときは、自然のにじを見るときと同じように、太陽とは反対側に水をふきつける必要があるよ。

問題38 小さな力で、重いものを動かすには？

長い板のはじに乗った、アキト君とはかせを、ナツミちゃんが1人の力で、持ち上げようとしているよ。
長い板をささえている支点を、㋐と㋑、どちらの方向へ動かせば、よりかんたんに持ち上がるかな？

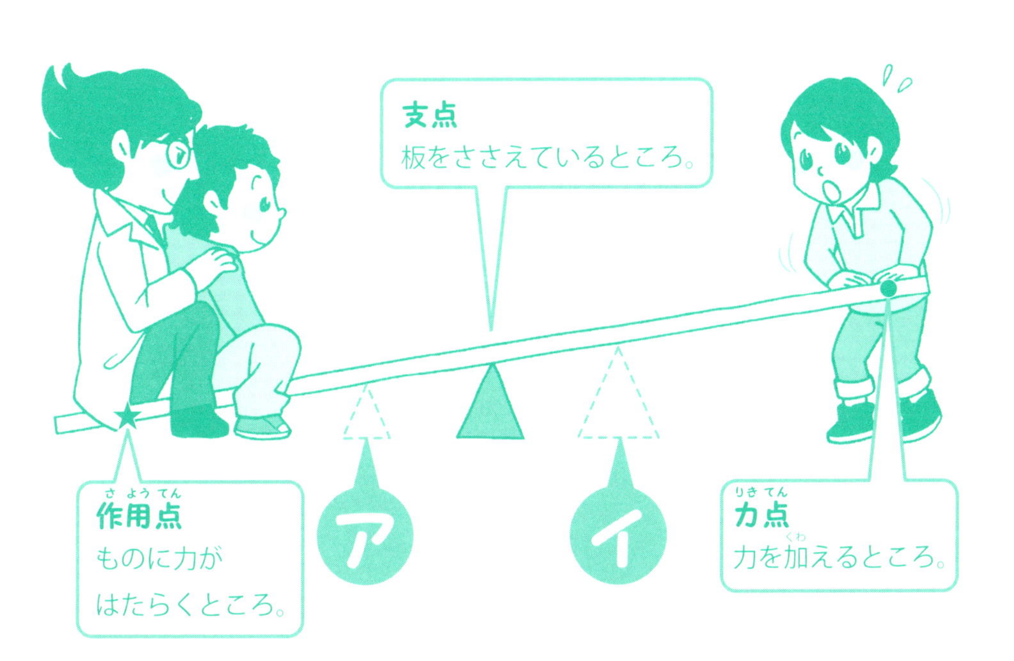

答え38　正解はア

ある１点で棒を支え、その棒の一部に力を加えることで、重いものを持ち上げることができるよ。このとき、棒を「てこ」として使っているんだ。てこには、「支点」「力点」「作用点」があるよ。てこの支点から力点までのきょりが長ければ長いほど、小さな力でものが動かせるんだ。

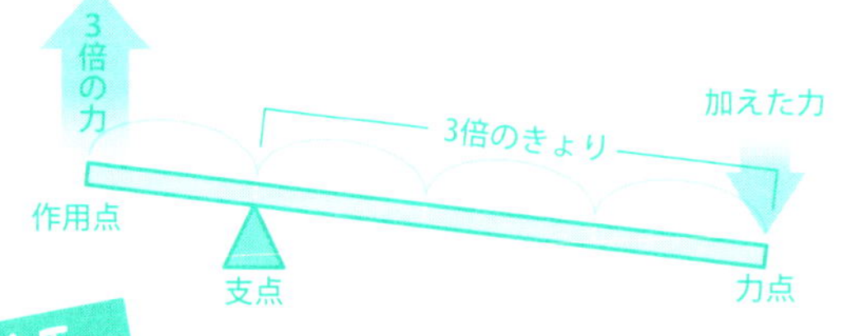

支点から力点までのきょりが、支点から作用点までの３倍あれば、加えた力の３倍の力が作用点にかかるんだ。

メモ

わたしたちの身のまわりには、てこを利用した道具がたくさんあるよ。支点は、かならず作用点と力点の間にくるとはかぎらないんだ。

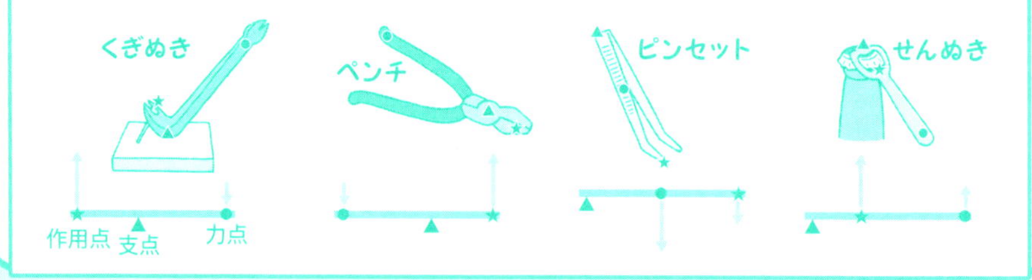

問題 39 電磁石のS極とN極を入れかえるには…？

電磁石にも、棒磁石と同じように、S極とN極があるよ。電磁石のS極とN極は、入れかえることができるんだ。
どうすればいいかな？
㋐～㋓の中から、2つ選ぼう。

電磁石に方位磁針を近づけると、S極とN極がわかるよ。

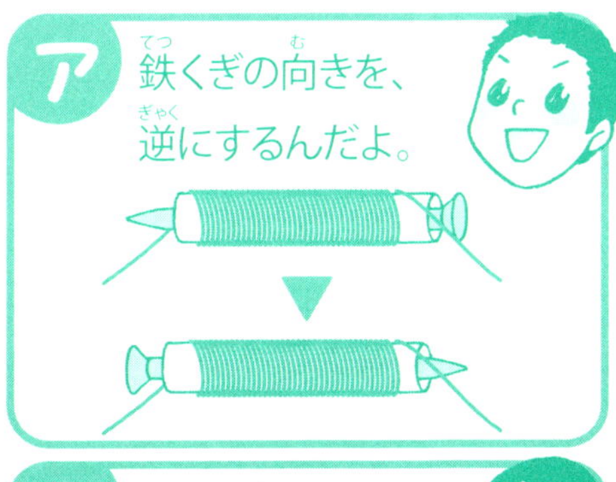

答え39 正解は イ ウ

電磁石のS極とN極は、電流の向きを変えると入れかわるんだ。また、コイルの巻く向きを逆にしても、S極とN極は入れかわるよ。

コイルに流れる電流の向きによって、S極とN極は決まるんだ。右手を使って、おぼえる方法があるよ。

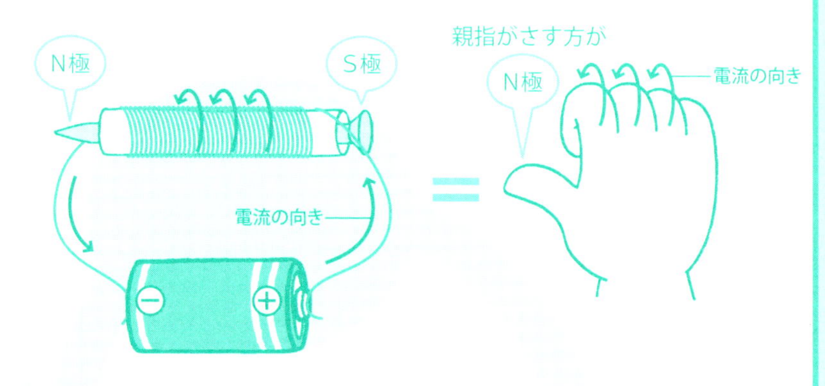

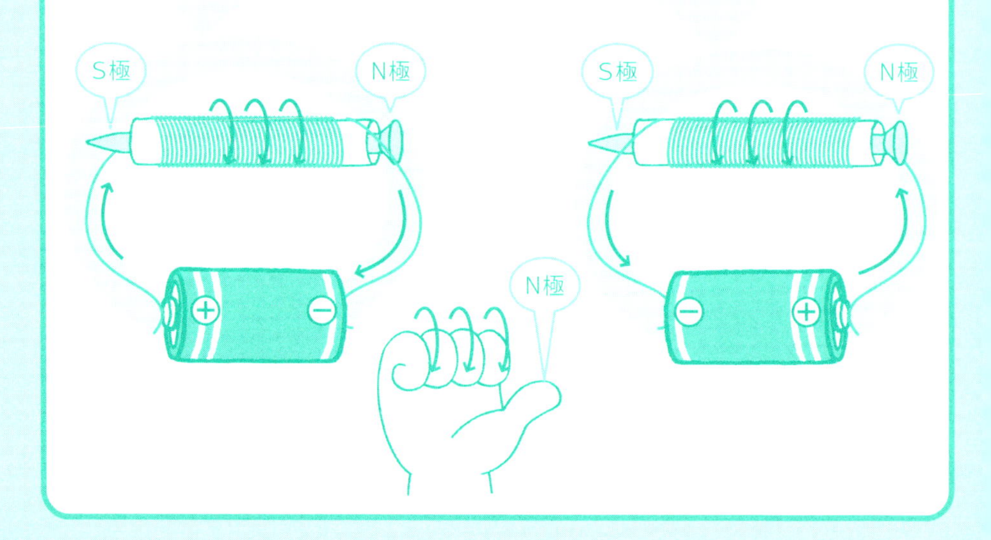

重い水と、軽い水？

水はあたためられると軽くなるね。それを実験で確かめてみよう。

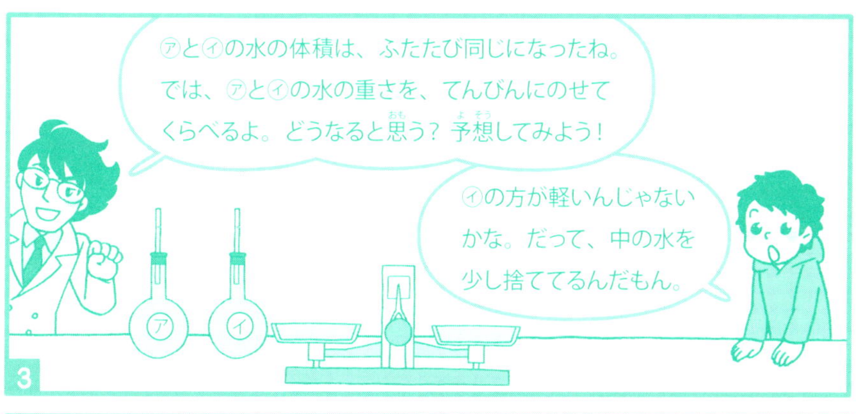

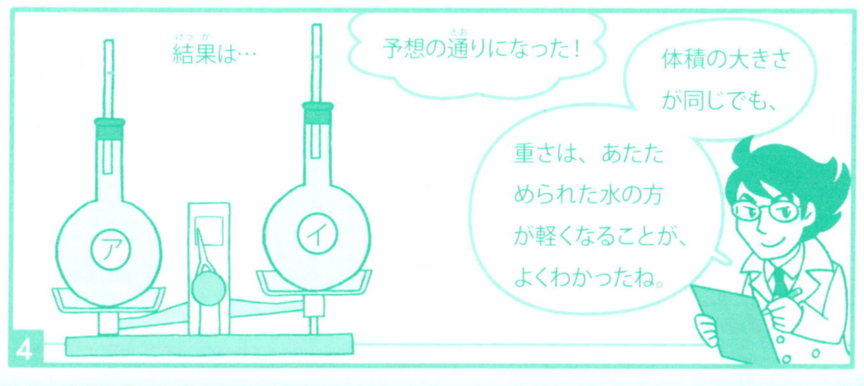

問題40 音が伝わる糸電話は、どれ？

紙コップと糸を使って、糸電話をいくつかつくったよ。
次の㋐〜㋔のうち、音が伝わったのは、どれかな? いくつかあるよ。全て選ぼう。

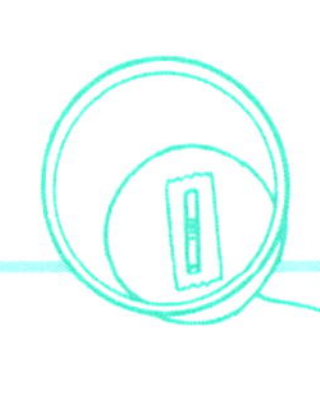

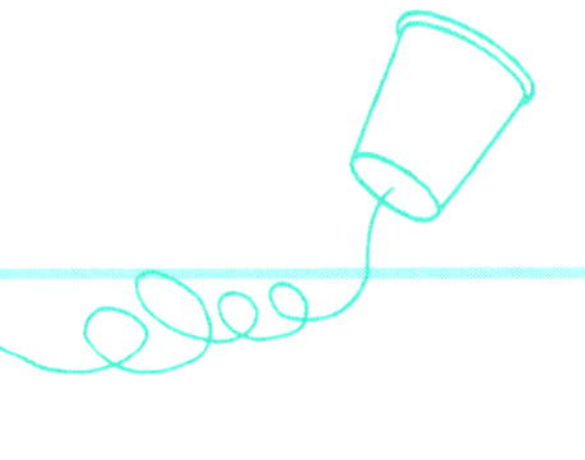

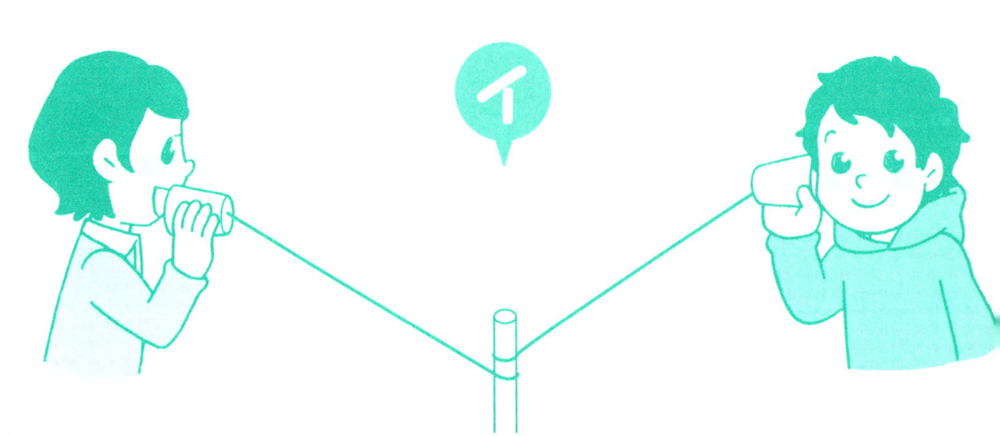

ウ
エ
オ

答え40　正解は㋐㋒㋔

糸電話の片方の紙コップに向かって声を出すと、その音はふるえとなって紙コップをふるわせる。

そのふるえは糸を伝わり、もう片方の紙コップをふるわせ、相手の耳に音がとどくんだ。だから㋐のように糸をぴんとはって、こまかなふるえが、よく伝わるようにしておく必要があるんだね。

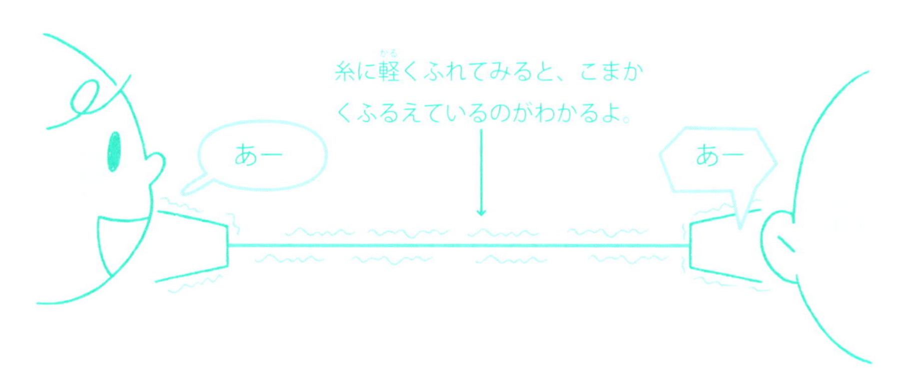

ふだん、音は空気をふるわせて伝わっているよ。水になにかが落ちたときに広がる「波もん」のように、同心円状に伝わっていくんだ。

ア
イ
糸にふれるものがあり、途中でふるえを止めてしまっているよ。
結び目があっても、ふるえは伝わるよ。
ウ
エ
糸がたるむと、ふるえが伝わらないよ。
結び目があっても、ふるえは伝わるから、もう一人に音を伝えることもできるね。
オ

さくいん

あ

アルカリ性 82
アルコールランプ 45,46,47
糸電話 90,92
色の三原色 62
上皿てんびん 5,6
液体 22,34,68,70,81,82
エナメル線 77
炎心 68
凹レンズ 56
重さ 5,6,15,16,50,53,54,76,89

か

外炎 68
回路 12,58
鏡 13,14,48
かん電池 11,12,25,40,57,58,73,74,77,87
気体 22,34,65,68,72
極（S極，N極） 28,35,36,87,88
極（＋極，－極） 11,12,74
金属 10,18,26,37,38,42,43
空気 18,22,23,24,32,50,52,64,65,66,68,70,80,92
くっせつ 56,84
結晶 60
コイル 26,77,78,87,88
氷 22,33,34,63,64
固体 22,34

さ

砂鉄 28
砂糖 53,54,60
砂糖水 53,54,81,82
作用点 85,86
酸性 82
酸素 34,65,66,72
試験管 44,47
磁石 9,10,27,28,36,77
磁性体 10
支点 85,86
シャーレ 45,47
重心 76
食塩 54,60
食塩水 54,82
磁力 10,28,77,78
水蒸気 21,22,34
水素 34
水溶液 54,60,72,82
スポイト 89
ソケット 11,25,26
ソーラークッカー 48

た

体積 16,18,24,33,34,89
対流 52,80
断熱 64
ちっ素 65,66
中性 82
直列つなぎ 58,74
てこ 86
鉄 9,10,15,16,18,22,27,40,42,77,78,87
電磁石 77,78,87,88
伝導 38
てんびん 5,15,16,89
電流 12,58,74,78,88
導線 11,12,25,26
凸レンズ 56

な

内炎 68
二酸化炭素 65,66,71,72
にじ 83,84
日光 13,14,29,30,48
熱気球 52

は

反射 14,30,48,84

ビーカー------------------------------44,47
光----------------14,22,30,48,56,61,62,83,84
光の三原色------------------------------62
ピペット--------------------------45,46,47
ピンセット----------------------------6,86
フィラメント---------------------------26
ふっとう----------------------------21,39
フラスコ--------------------------------89
ふりこ----------------------------------76
分子------------------------------------34
分銅-------------------------------------6
並列つなぎ--------------------------58,74
ペトリ皿----------------------------45,47
方位磁針----------------------------36,87
棒磁石-------------------27,28,35,36,87

ま

まさつ力--------------------------------20
豆電球--------------------11,12,25,26,40
丸底フラスコ------------------------44,47
水--16,17,18,21,22,23,24,31,33,34,39,48,49,50,53,
54,55,56,59,60,65,69,70,71,72,79,80,84,89,92
ミョウバン--------------------------59,60
虫めがね--------------------------29,30,56
ムラサキキャベツ--------------------81,82
メスシリンダー----------------------45,47
毛細管現象------------------------------70
モーター-----------------10,57,58,73,74

ら

力点--------------------------------85,86
レンズ------------------------------30,56
ろうそく--------------------------67,68,70
ろうと------------------------------44,47

多田歩実

イラストレーター。本書では文章・デザインも担当。
主な仕事に『ビジュアルガイド明治・大正・昭和のくらし③』(汐文社)
『シゲマツ先生の学問のすすめ』(岩崎書店)、『日本地図めいろランキング』(ほるぷ出版)
『占い大研究』(ＰＨＰ研究所)、『にほんのあそびの教科書』(土屋書店)など。

参考文献一覧

『小学館の図鑑 NEO　科学の実験』ガリレオ工房 / 滝川洋二 / 伊地知国夫ほか・監修（小学館）
『わくわく理科 3』『わくわく理科 4』『わくわく理科 5』『わくわく理科 6』
大隅良典 / 石浦章一 / 鎌田正裕・著（新興出版社啓林館）
『小学生のキッチンでかんたん実験 60』科学ソフト開発部・編（学習研究社）
『小学生のキッチンでびっくり実験 66』科学ソフト開発部・編（学習研究社）
『ニューワイド学研の図鑑　実験・自由研究』鈴木寛一 / 中山周平 / 今泉忠明・著 (学習研究社)
『小学パーフェクトコース　?に答える！小学理科』高濱正伸・監修（学研教育出版）
『小学生の実験・観察・工作　自由研究』ガリレオ工房・編（永岡書店）
『実験・観察・工作ブック　わくわく・びっくりサイエンス教室』山崎健一・著（国土社）

このほか、ＮＨＫホームページなど多数 Web サイトや教科書などを参考にさせていただきました。

なぜなにはかせの理科クイズ⑨

いろいろな実験

2016 年 3 月 10 日　初版第 1 刷発行
著者／多田歩実
発行／株式会社　国土社
〒102-0094 東京都千代田区紀尾井町 3－6
Tel 03-6272-6125　Fax 03-6272-6126
http://www.kokudosha.co.jp
印刷／モリモト印刷
製本／難波製本
NDC432 ／ 9 5 P ／ 2 2 c m
ISBN978-4-337-21709-6 C8340

NDC432　国土社
2016　95P　22×16 ㎝